Historia de los Estados Unidos

Una guía fascinante de la historia de América, que incluye acontecimientos como la Revolución americana, la guerra franco-india, el Motín del té de Boston y Pearl Harbor

Índice

Introducción

Cuando los primeros colonos llegaron a los Estados Unidos de América y comenzaron a buscarse la vida en aquel entorno natural, tan duro y poco familiar para gentes procedentes de Europa, jamás habrían podido soñar que, algún día, esa tierra que pisaban se convertiría en uno de los países más poderosos del mundo. Cuando los nativos americanos contemplaron por primera vez aquellas velas blancas, que arrastraban embarcaciones llenas de marineros de tez pálida, y que por primera vez se adentraban en su mundo, jamás habrían podido soñar que, pasados unos pocos siglos, prácticamente todo su pueblo habría desaparecido, que iban a sufrir una masacre tras otra, que serían privados de su libertad y confinados en reservas muy pequeñas en comparación con la amplitud de sus territorios, y que transitarían el Sendero de Lágrimas durante los siguientes cientos de años.

Cuando la América colonial se enfrentó a Francia en la guerra franco-india y los británicos acudieron al rescate de sus colonias, jamás habrían podido soñar que, al cabo de pocas décadas, los americanos se revolverían contra la propia Gran Bretaña, se liberarían de sus cadenas y se declararían a sí mismos como un país independiente y con su propio concepto de sociedad. Cuando George Washington, por entonces un joven de veintiún años, llevó aquel mensaje que precipitaría la guerra franco-india, cabalgando a través de un territorio agreste y azotado por una fuerte nevada, jamás habría podido soñar que algún día iba a convertirse en el primer presidente de los Estados Unidos de América.

Cuando los predicadores del Gran Despertar se alzaban en la parte de atrás de las carretas o sobre tocones de viejos árboles para hablar por primera vez al pueblo americano acerca de la libertad individual y del poder de la gente corriente, jamás habrían podido soñar que sus sermones darían lugar a una ola imparable de abolicionismo, que terminaría en una guerra civil que estuvo a punto de hacer pedazos el joven país. Cuando la Unión ganó finalmente la Guerra Civil de Secesión y los afroamericanos rompieron sus cadenas, los líderes militares jamás habrían podido soñar que, al cabo de medio siglo, los Estados Unidos, tras la guerra contra España, iban a alzarse como una de las potencias militares más importantes del mundo. Y cuando esos soldados vencieron en su lucha contra los españoles en Cuba, jamás habrían podido soñar que, en ese mismo siglo, la propia Cuba se volvería contra su país y se convertiría en la mayor amenaza de aniquilación nuclear de toda la Guerra Fría.

Cuando los hermanos Wright realizaron su primer vuelo y Thomas Edison fabricó la primera bombilla, nunca habrían podido soñar que la capacidad de innovación de América iba a dar lugar no solo a los coches Ford, el baloncesto, el teléfono y Facebook, sino que también sería decisiva en la creación de bombas atómicas que matarían a cientos de miles de personas, lo que provocaría el final definitivo de la Segunda Guerra Mundial. Sin embargo, Martin Luther King sí que soñó. Una noche tuvo un sueño de hermandad e igualdad, y ese sueño, al menos en parte, se hizo realidad en 2008, cuando América contempló la toma de posesión del primer presidente negro de su historia. Los esclavos de las grandes plantaciones sureñas jamás habrían podido soñar que ese momento llegaría, pero llegó.

Nadie habría podido soñarlo, pero todo eso ocurrió, y se convirtió en la historia de los Estados Unidos de América. Y ocurrió así, tal como lo vamos a contar.

Capítulo 1 – El pueblo que vivía antes allí

Talapas hizo el mundo. Creó la superficie de la tierra, construyó ríos y montañas, árboles y colinas, rocas y arroyos. Después pobló la tierra con los Espíritus del Tótem, unas criaturas que eran en parte seres vivos y en parte espíritus.

Una de esas criaturas era T'soona, el Pájaro del Trueno. Surgió de la espalda de un pez cuando el Viento del Sur utilizó su cuchillo y cortó el pez por donde no debía. El Pájaro del Trueno salió a través del corte y voló por el aire. La amplitud de sus alas era capaz de bloquear el sol, su batir provocaba un enorme estruendo, y el brillo de sus ojos resultaba aterrador y mortífero.

Talapas ordenó al Pájaro del Trueno que volara hasta el monte Saddleback, Kaheese en la lengua materna. Obedientemente, el gran pájaro así lo hizo. Cuando llegó a la montaña, se posó sobre ella y puso cinco huevos gigantes y mágicos antes de alejarse volando.

En ese momento apareció una Giganta vengativa. La Giganta había advertido al Viento de Sur que solo podía cortar los peces a lo largo de la espina dorsal, nunca por los lados, y había contemplado el resultado que se había producido por no hacer caso a su advertencia. Así que decidió agarrar los huevos del Pájaro del Trueno y comérselos. Levantó uno y, muy enfadada, lo arrojó montaña abajo, pero no pudo seguir con su empeño. Una criatura enorme y llameante surgió del cielo profiriendo un grito terrible, con las alas extendidas e incandescentes. Era el Pájaro del Espíritu, que estaba decidido a proteger como fuera los huevos del Pájaro del Trueno. Descendió en picado y, con las alas llameantes, prendió fuego a la Giganta. Abrasada y gritando de dolor, cayó rodando por la falda de la montaña, y ese fue su final.

Los huevos del Pájaro del Trueno quedaron pues a salvo en el monte Saddleback y, cuando se rompieron sus cascarones, el pueblo, los T'sinuk, salieron de ellos, y poblaron la tierra que Talapas había creado.

- Mito de los pueblos Chinook acerca de la creación.

Al igual que el resto del Nuevo Mundo, América del Norte no estaba despoblada cuando llegaron los europeos. De hecho, cuando Colón llegó a América en el siglo XV, en el continente y sus islas residían varias culturas, diferentes y culturalmente complejas, cada una con su propio modo de vida.

Los orígenes de los nativos americanos

Fue probablemente durante la Edad del Hielo cuando llegaron a América del Norte sus primeros pobladores. Procedentes de Asia, cruzaron el estrecho de Bering, que en esos momentos estaba completamente helado, y se adentraron en Alaska. Se produjeron varias oleadas de inmigración, en las que distintos pueblos fueron descendiendo y distribuyéndose por Canadá, bajando después hasta lo que hoy son los Estados Unidos. Con el tiempo se fueron conformando cientos de tribus diferentes. Hacia el año 1000 a. C. ya había poblado todo el continente. Los descubridores europeos, cuando llegaron, bautizaron las Américas como "El Nuevo Mundo", aunque en realidad ya había sido explorado durante miles de años.

De hecho, a finales del siglo XV en toda América del Norte vivían varios millones de nativos. Algunas estimaciones indican que la población podía llegar en aquel momento a los dieciocho millones de personas, es decir, seis veces la población de Inglaterra y Gales en aquella época. En estos momentos, en los Estados Unidos viven menos de cinco millones y medio de nativos americanos. La diferencia es dramática.

Los primeros nativos americanos

Paradójicamente, las evidencias más antiguas de actividad humana en América del Norte se localizan en su extremo sur, en Nuevo México. La tribu de los clovis fue una de las primeras de la historia en dejar huellas de su cultura. En una época en la que el mamut de Columbia todavía deambulaba por la tierra, esta tribu aprendió a cazar estas enormes criaturas para alimentarse de ellas y construir refugios con sus pieles y huesos. Un solo mamut era suficiente para alimentar una aldea durante bastante tiempo, pero derribarlo no era tarea para gente débil o mal equipada. Para poder cazar a estos mastodontes, la tribu de los clovis desarrolló un artefacto que, probablemente, fue el primer invento americano: la punta clovis.

Estos cuchillos de piedra estaban hechos de jaspe, pedernal u obsidiana, y su trabajo artesanal es exquisito. Estaban diseñados para colocarse en una vara y así formar lanzas muy agudas, capaces de atravesar la gruesa y dura piel de los mamuts. De hecho, las puntas clovis cumplían tan bien su objetivo que contribuyeron en gran parte a la prematura desaparición de los mamuts: estas majestuosas criaturas fueron extinguiéndose poco a poco tras la llegada del hombre a América del Norte, en parte debido a la desaparición de su hábitat, pero también a causa de la caza.

Alrededor de trescientos años después de los clovis, en la misma zona geográfica surgió otra cultura, y con un sistema de supervivencia muy similar. Mientras que en la época del pueblo folsom el mamut ya prácticamente se había extinguido, ellos cazaban otro animal enorme, una especie de bisonte de tamaño gigante. Estos animales eran más rápidos y ágiles que los mamuts, y las lanzas de los clovis resultaban demasiado voluminosas para poder cazarlos. Los folsom mejoraron el diseño de los clovis y desarrollaron un arma llamada *atlatl*. Con ella podían proyectar una pequeña lanza con mucha más fuerza y velocidad que usando simplemente el brazo, lo que les permitía abatir a los poderosos bisontes.

Después de su migración a las Grandes Llanuras, los pueblos nativos siguieron cazando bisontes, y de hecho estructuraron gran parte de su cultura alrededor de sus enormes presas; se convirtieron en nómadas, abandonando sus granjas para seguir a las grandes manadas de bisontes a donde quiera que fueran. Ese modo de vida se mantuvo durante siglos, incluso tras la colonización europea, aunque esta finalmente dio lugar a que los nativos americanos fueran ubicados en pequeñas reservas. Pero incluso algún milenio después de la llegada de los europeos, la cultura Plano seguía mejorando sus técnicas de caza, especialmente en lo que se refería al bisonte. Fue precisamente esta tribu la que desarrolló la técnica de conducir a una manada de bisontes hacia desfiladeros, para despeñarlos y matarlos en grandes cantidades con mucho menos esfuerzo.

La cultura Plano también desarrolló nuevas formas de preservar y cocinar los alimentos. Utilizaban piedras para moler el grano y formar una especie de harina basta, y también fueron los primeros en preparar carne picada, por supuesto de bisonte, utilizando la misma técnica. Los Plano desarrollaron también lo que podríamos considerar los primeros embutidos: producían unas pequeñas bolas secas formadas por grasa y proteínas, es decir, una fuente de alimentación nutritiva y duradera para las épocas en las que escaseara la caza.

Por otra parte, a lo largo de la costa noroeste, otras muchas tribus exploraban formas de vida diferentes, basadas en la pesca y en el uso de canoas. Los antecesores de tribus como los Haida, los Nootka y los Tlingit condujeron a estos pueblos a desarrollar formas culturales más complejas. No solo construyeron magníficas canoas, gracias las que eran capaces de cazar enormes criaturas marinas, incluidas las ballenas, sino que también desarrollaron sistemas sociales que, en cierto modo, se asemejaban al feudalismo europeo. Había jefes que formaban una especie de nobleza, y a su mando estaba el pueblo llano. Incluso había esclavos. El orgullo era una característica fundamental de su cultura, y la riqueza se consideraba el símbolo clave del estatus social. Se sabe que las familias acaudaladas no reparaban en gastos a la hora de preparar fiestas y banquetes para sus vecinos y amigos, y así mostrar a todos su gran riqueza material. También construían grandes casas de madera, pues eran unos carpinteros excelentes. No obstante, ninguna de estas tribus desarrolló el más mínimo concepto de agricultura, ni tampoco granjas.

Una de las primeras tribus agrícolas fueron los Adena, que vivieron alrededor del año 1000 a. C. Además de cultivar la mayoría de los vegetales que todavía hoy siguen produciendo los granjeros americanos, como el maíz y el girasol, también ponían en prácticas rituales de enterramiento muy elaboradas, que incluían la construcción de grandes túmulos de tierra en los que sepultaban a sus muertos. Es muy probable que uno de los mejores ejemplos de ellos sea el Montículo de la Gran Serpiente, una misteriosa maravilla arqueológica que lleva siglos desconcertando a los historiadores. No cabe la menor duda de que fue construido por alguna tribu de nativos americanos, y se trata de un túmulo religioso construido a imagen de un animal que posiblemente tenía significación espiritual. Pese a tener una altura de algo menos de un metro, su longitud es de unos cuatrocientos diez metros, y las sinuosas curvas que dibuja presentan una sorprendente simetría. Se cree que fue construida o por los Adena o por la tribu de la Antigua Fortaleza (*Fort Ancient* en inglés), que vivió en esa misma zona unos mil años después de la tribu Adena.

Los nativos americanos y la llegada de Colón

A finales del siglo XV, cuando los barcos españoles zarparon con la esperanza de encontrar una nueva ruta hacia las Indias, las poblaciones de nativos americanos eran muy variadas, y además estaban en pleno crecimiento. Cada tribu tenía una cultura completa e independiente, y su forma de vida no era tan distinta de la de los europeos que, en poco tiempo, iban a invadir sus territorios. Al igual que los europeos, los nativos americanos disponían de ciudades, rutas comerciales, estructuras sociales complejas, dirigentes y caudillos y cientos de lenguas distintas. Además, por supuesto, guerreaban entre ellos. Habían domesticado distintos tipos de animales, como perros, pavos, cobayas y llamas; no obstante, el caballo era un animal completamente desconocido para ellos. De hecho, los caballos actuales no llegaron a América hasta el siglo XVI.

También tenían creencias religiosas que diferían mucho entre las distintas tribus, incluyendo el origen de la creación. Muchas de ellas estaban fuertemente enraizadas en la naturaleza. Las tribus habían convivido durante siglos con las plantas, los animales y el entorno natural; consideraban que muchas criaturas eran espíritus benefactores, mientras que a otras las respetaban y reverenciaban por ser su fuente de alimentación. Los dioses también formaban parte del entramado, y normalmente creían en muchos, aunque siempre liderados por un único gran espíritu creador. Algunos de los nativos americanos de hoy en día siguen practicando sus antiguas creencias religiosas y culturales, y la huella de las mismas se mantiene en el país, en forma de túmulos y de mástiles totémicos.

Aunque había conflictos entre las tribus y la guerra era un aspecto sustancial y recurrente en sus vidas, los nativos americanos vivieron durante miles de años aislados y sin conflictos bélicos devastadores. Pero eso estaba a punto de cambiar. Llegaron los europeos, y con ellos una estela de muertes, guerras y enfermedades a la que los nativos nunca se habían enfrentado con anterioridad.

Capítulo 2 – Época de exploraciones

Ilustración I: Copia de una acuarela de John White, realizada en 1590, en la que se representa a nativos americanos construyendo una canoa.

Cristóbal Colón no descubrió América.

De hecho, lo más probable es que fueran los vikingos los primeros europeos en llegar a América del Norte. Leif Erikson, hijo de Erik el Rojo, probablemente llegó a Canadá a finales del siglo X; pasó allí varios meses y puede que explorara la costa en dirección sur, hasta lo que hoy son las islas Bahamas, aunque hay pocas evidencias que respalden esta teoría.

El descubrimiento europeo de América del Norte

En 1492, cuando Cristóbal Colón llegó a La Española, hacía mucho tiempo que los vikingos ya no estaban. Colón fue el primer europeo que realmente colonizó las Américas. Cuando volvió a Europa dejó una pequeña guarnición de hombres en una isla a la que bautizó con el nombre San Salvador. Así comenzó la colonización del Nuevo Mundo.

Lo cierto es que Colón nunca pisó el territorio de lo que hoy son los Estados Unidos. Además, durante el resto de su vida siguió negando que hubiera descubierto un nuevo continente, pues estaba totalmente convencido de que había conseguido el objetivo de su vida: establecer una nueva ruta a Asia. Por eso llamó "indios" a los nativos de la zona, y esa denominación se ha mantenido hasta hoy. Mientras Colón exploraba las islas y la zona continental de América del Sur, John Cabot, un explorador italiano relativamente poco conocido que trabajaba para los ingleses, se internó en las tierras de Norteamérica.

Lo cierto es que no celebramos el Día de Cabot como el Día de Colón; no obstante, en 1497, John Cabot fue el primer europeo desde Leif Erikson que pisó las tierras continentales de América del Norte, en un viaje de exploración encargado por el rey Enrique VII de Inglaterra. La vida y los viajes de Cabot siguen envueltos en el misterio. Su objetivo era el mismo que el de Colón, es decir, establecer una nueva ruta comercial con la India, pero pensaba que sería más conveniente para conseguir ese objetivo viajar hacia el norte para evitar circunvalar África. Cuando llegó a Terranova en junio de 1497 también pensaba que había encontrado una nueva ruta hacia las Indias. Bautizó las islas y los accidentes costeros circundantes con nombres de clara inspiración británica, como la isla de St. John o el cabo England. Tras regresar para informar al rey de la feliz noticia, en

1498 emprendió un nuevo viaje, y se cree que falleció en un naufragio.

Los españoles en América

En 1513, que ya habían iniciado el proceso de conquista y colonización en La Española, Puerto Rico, Cuba y otras islas del Caribe, realizaron su primera incursión en la zona continental de América del Norte. Capitaneados por Juan Ponce de León, antiguo gobernador de Puerto Rico, fondearon en lo que hoy es la costa de Florida. Con toda seguridad, las tierras pantanosas y llenas de vegetación que se encontraron no debieron parecerles muy distintas de las selvas sudamericanas que ya conocían, por lo que no establecieron diferencias entre ellas. Lo cierto es que no tenían modo de saber que estaban poniendo pie en una tierra que, con el tiempo, iba a pertenecer a una de las más grandes potencias del mundo moderno.

Al contrario que Colón y Cabot, Ponce de León no buscaba una vía para llegar a Asia. La riqueza material no era lo que le guiaba; por el contrario, y según la leyenda, sus pretensiones eran más míticas. Se trataba de encontrar algo que ha atraído a las personas desde siempre: la Fuente de la Eterna Juventud. Se suponía que dicha fuente producía unas aguas capaces de revertir el proceso de envejecimiento y, así, hacer que quien la bebía viviera para siempre.

A la búsqueda de esa fuente, Ponce de León exploró concienzudamente la costa de Florida, y le puso el nombre a la península (aunque en ese momento pensó que se trataba de una isla) en honor de la festividad religiosa española de la "Pascua Florida". El nombre se mantuvo, y en 1521 Ponce de León regresó con un grupo de hombres para colonizar la "isla". Su intento encontró una fuerte resistencia. Las noticias del terrible destino que habían sufrido otras tribus habían llegado a los nativos americanos que vivían en Florida, por lo que opusieron una fuerte resistencia, inesperada para los españoles. Ponce de León resultó seriamente herido en combate, y sus hombres tuvieron que retirarse. Ponce no se recuperó y murió en Cuba. El intrépido explorador no encontró la Fuente de la Eterna

Juventud: murió a la edad de sesenta y un años, tras recibir un flechazo en el muslo.

Las expediciones francesas

Tras un primer viaje realizado en 1524 por Giovanni da Verrazano, los franceses empezaron a reclamar sus derechos sobre ciertas zonas norteñas que hoy conforman los Estados Unidos. Mientras que los españoles controlaban Florida e incluso algunos territorios más al norte, fue Verrazano, natural de Italia, pero al servicio de Francia, el primer europeo que contempló la bahía que, con el tiempo, se iba a convertir en el puerto de Nueva York.

Jacques Cartier, que se cree que había acompañado a Verrazano en la expedición que recorrió las costas de lo que hoy son los estados de Carolina del Norte y Nueva York, realizó un segundo viaje a Norteamérica en 1534, financiado por Francia. Él también buscaba una ruta hacia Asia, pero se encontró con lo que hoy es Canadá, estableciendo así la primera declaración de pertenencia para Francia de un territorio norteamericano, y que se mantendría durante siglos.

Verrazano no fue el único marinero nacido en Italia que dejaría huella en la historia del Nuevo Mundo. Américo Vespucio, un florentino al servicio de España, reclamó para sí el honor de haber sido el primero en descubrir la zona continental suramericana, bastante antes que Colón. No obstante, ha quedado probado que Vespucio no vio ni pisó el continente antes de 1499, y hasta eso se pone en duda. No obstante, sus afirmaciones fueron dadas por buenas durante el tiempo suficiente como para que el Nuevo Mundo fuera bautizado a partir del nombre de pila de Vespucio: América, por Américo (en italiano, Amerigo).

La Colonia Perdida

Posteriormente, mientras España exploraba activamente el sur y Francia el norte, los ingleses se hicieron con la mayor parte de lo que hoy son los Estados Unidos, y su dominio fue el que más tiempo duró. Todo empezó con la que se suele llamar la "Colonia Perdida".

Se cree que John White, un explorador inglés financiado por sir Walter Raleigh, aventurero favorito de la reina Isabel I y un auténtico bribón, realizó su primer viaje al Nuevo Mundo en 1584. Acompañado de dos expertos marineros, Philip Amadas y Arthur Barlowe, llegaron a lo que hoy es Carolina del Norte, o sus cercanías. Regresó un año después, en una misión en la que tanto él como sus hombres estuvieron a punto de perecer, tras ganarse a pulso la enemistad de los nativos asesinando a uno de sus jefes. Sir Francis Drake, un bucanero y saqueador profesional con patente de corso concedida por la reina de Inglaterra, durante una de sus incursiones rescató a los supervivientes en la orilla de la isla Roanoke.

A White no le arredró el contratiempo, pues estaba completamente decidido a ofrecerle a su reina la capacidad de reclamar para su país los infinitos recursos del Nuevo Mundo, cuyas leyendas acerca de tesoros y riquezas era interminables: la Fuente de la Eterna Juventud, una ciudad hecha enteramente de oro ("Eldorado"), una nueva vía hacia Asia... Todo era legendario, pero a la vez real. Y los británicos querían su parte del pastel. White regresó en 1587, esta vez para fundar una colonia estable y segura. Trasladó a más de cien personas a la isla Roanoke, mujeres y niños incluidos, y entre todos empezaron a construir un pueblo. Allí nació la primera niña norteamericana de origen británico, Virginia Dare, cuyo nombre de pila coincidió con el que Walter Raleigh había elegido para aquella tierra en honor de la reina virgen de Inglaterra.

White había aprendido, y esta vez no recurrió a la violencia para relacionarse con los nativos, sino todo lo contrario. Los europeos establecieron fuertes vínculos de amistad con la tribu de los Croatan, hasta tal punto que el propio White pintaría varias acuarelas con ellos como protagonistas. Sus dibujos fueron los primeros retratos de los nativos americanos que pudieron verse en Inglaterra.

No obstante, no todo iba bien en la colonia. Los suministros empezaron a escasear, pues los ingleses todavía no habían aprendido a sobrevivir en América como lo hacían los nativos. Así que, antes de que terminara el año, White embarcó de vuelta a Inglaterra con el fin de conseguir tan rápido como pudiera los pertrechos necesarios para mantener la colonia, y regresar de inmediato. Pero no fue así. Nada más llegar, estalló la guerra entre Inglaterra y España, y las aguas que rodeaban ambos países se convirtieron en zona de conflicto. Intentar navegarlas era ir directo al desastre. White tuvo que permanecer en Inglaterra, incapaz de establecer contacto con los colonos que había dejado en Roanoke. Su hija mayor, Eleanor Dare, así como la hija recién nacida de esta, la pequeña Virginia, estaban entre ellos.

Transcurrieron tres largos años. Tres años durante los cuales Eleanor no tuvo manera de saber qué había ocurrido con su padre. ¿Pensó que se había extraviado en el océano? ¿O que le habían matado los piratas? O, en los peores momentos, ¿pensaría que, simplemente, las había dejado atrás y se había olvidado de ellas? Por supuesto, no era nada de eso, y en 1590 White estuvo por fin en condiciones de zarpar de nuevo hacia Roanoke. Ansiaba volver a ver a su hija y tomar de nuevo entre sus brazos a su pequeña nieta Virginia.

No pudo hacerlo. Lo único que quedaba de la colonia era la palabra "Croatan" tallada en un poste de madera. White nunca supo si tal palabra hacía referencia a la tribu de nativos que vivía en las proximidades o a una isla vecina. Los fondos para la expedición se habían agotado, así que tuvo que regresar a Inglaterra, con los barcos llenos de suministros y el corazón hecho pedazos. A día de hoy, nadie sabe lo que pasó realmente con la Colonia Perdida.

Capítulo 3 – La colonización de América

Pese al fracaso que supuso la Colonia Perdida, Inglaterra sería uno de los primeros países en establecer una colonia permanente en América del Norte, y además no lejos de la propia isla Roanoke.

La avidez por la colonización del Nuevo Mundo no solo se debió al espíritu aventurero, sino también a la necesidad y la desesperación. Inglaterra estaba cambiando, inmersa en un largo periodo de agitación religiosa y económica. En pocas palabras, Inglaterra no era lo suficientemente grande como para albergar a toda su gente. El hecho de que los varones primogénitos heredaran la totalidad de las haciendas implicaba que los demás hijos tuvieran que buscarse su propio modo de vida; y, para empeorar las cosas, la recesión económica había conducido a la pobreza absoluta a las clases más desfavorecidas. La isla luchaba por mantener una población cuyo número crecía constantemente. Así que los ingleses de toda condición empezaron a mirar fuera de su país. Además, con su leyenda de libertad y de oro, el Nuevo Mundo parecía la solución ideal, no solo para los aventureros, sino para todos los ingleses desesperados.

Pero no solo fueron los pobres los que buscaron maravillas y riquezas en América. El rey Jacobo I de Inglaterra veía con preocupación las continuas reclamaciones españolas sobre las tierras norteamericanas. Sabía que todo el Nuevo Mundo se le escaparía de las manos si no hacía algo, así que en 1606 dictó un Acta Real que establecía la pertenencia de Virginia al reino de Inglaterra, un área que Walter Raleigh había reclamado como posesión inglesa hacía varias décadas, y ordenó que fuera explorada a fondo y colonizada.

Jamestown

Una empresa de accionistas privados creada al efecto, la Compañía Virginia de Londres, recibió la concesión real para la exploración de Virginia, y organizó de inmediato una expedición al efecto. Como en el trascendental primer viaje de Colón, realizado algo más de cien años antes, este fue realizado en tres naves. La *Susan Constant*, la *Discovery* y la *Godspeed* llegaron a Virginia en 1607. En ellas viajaban 104 adultos y jóvenes ingleses, al mando de un consejo elegido por la compañía. Edward Maria Wingfield fue el primer presidente de la colonia, pero pronto quedó claro que otro miembro del consejo, el antiguo militar John Smith, iba a ser el auténtico líder del grupo. Su fuerte liderazgo, unido a la capacidad y disposición a negociar y cooperar con los nativos permitió la construcción del primer asentamiento y aseguró su supervivencia. Recibió el nombre de Jamestown, en honor al rey que les había enviado allí.

Los colonos descubrieron muy pronto la razón por la que había costado tanto tiempo fundar una colonia en esa zona del continente norteamericano. En primer lugar, sus pobladores nativos llevaban miles de años aislados del resto del mundo, por lo que transmitían enfermedades a las que el sistema inmunitario de los europeos no era capaz de enfrentarse. Por consiguiente, no había manera de tratarlas médicamente, así que se expandieron entre los colonos como un incendio sin control, provocando numerosas muertes.

También quedó patente de forma casi inmediata que la tierra que los nativos americanos consideraban tan rica en recursos, para los ingleses era estéril e inútil. Tuvieron que pasar muchos siglos y muchas generaciones para que los propios ingleses, en su propia tierra, pudieran vivir de ella; sus conocimientos, basados en los libros, no les servían de nada en aquel entorno nuevo, cuya dura realidad les obligaba a cazar y recolectar para poder sobrevivir. Pese a la ayuda de los Powhatan, una tribu local, que les enviaba víveres y otros regalos a pesar de que, en general, mantenían las distancias, los colonos empezaron a pasar hambre.

La época de la hambruna

La situación se volvió insostenible durante el invierno de 1609. Durante tres largos años los colonos habían aguantado como habían podido, manteniendo el asentamiento a duras penas y luchando simplemente para mantenerse con vida. Al final de ese año había muerto cerca del noventa por ciento de los colonos iniciales. Solo quedaba un puñado, aferrándose a la vida y absolutamente desilusionados y olvidados de sus sueños de oro y riquezas, que la realidad del invierno había terminado por congelar. Peor aún, la amistad con los Powhatan había terminado. Su única fuente real de alimentos se había secado, y tenían miedo de salir fuera de las empalizadas, por lo que se mantuvieron dentro del asentamiento en una especie de estado de sitio, pasivo y desesperado. Se alimentaban del cuero de sus botas y de los cuerpos de los muertos. Ese periodo ha pasado a la historia con el desesperado y significativo nombre de la época de la hambruna.

Mientras tanto, se habían enviado un nuevo contingente de colonos para que su unieran a los que ya había en Jamestown, pero un naufragio los obligó a quedarse atrapados en Jamaica y sin posibilidades de unirse a sus compañeros. Hasta la primavera no fueron capaces de construir nuevas embarcaciones y navegar hasta el continente, en donde se encontraron con unos cuantos supervivientes hambrientos, desesperados y casi enloquecidos. Se tomó la decisión de abandonar Jamestown y volver a casa, pues incluso las turbulencias económicas de Inglaterra eran un destino mejor que la lluvia de flechas de los indios y una tierra inhóspita y desconocida. Abandonaron Jamestown, pero al recibir la noticia de que iba a llegar una nueva flota, los colonos volvieron.

La búsqueda de la paz con los Powhatan

Una vez que hubo llegado el nuevo gobernador de Jamestown, Thomas West, lord De La Warr, las cosas empezaron a ir un poco mejor para los colonos. John Rolfe, un hombre de negocios que sobrevivió al naufragio de las Bermudas y logró llegar a Jamestown, se las arregló para iniciar el primer cultivo comercial que la Compañía Virginia llevaba buscando desesperadamente varios años: el tabaco. La primara plantación se realizó en 1611, y a partir de entonces empezó a llegar un goteo de recursos a la colonia.

No obstante, las relaciones con la tribu Powhatan volvieron a deteriorarse. Los colonos realizaban incursiones en los pueblos para robar comida y otros suministros. Los nativos eran superiores en lo que se refiere al conocimiento de los bosques y la forma de sobrevivir y medrar en ellos, pero su armamento no podía compararse con el de los ingleses. Se enfrentaban a ellos con arcos y flechas, mientras lo europeos utilizaban armas de fuego.

Antes de marcharse de Virginia en 1609, John Smith dirigió algunas de estas incursiones, aunque también buscaba una solución distinta a los enfrentamientos. Al cabo de un tiempo, el Jefe Powhatan Wahunsenacawh entabló amistad con Smith y lo reconoció a su vez, en nombre de su pueblo, con el título de Jefe de los colonos. Así se estableció una relación entre los Powhatan y los ingleses, bastante imperfecta eso sí, pues si los nativos no proveían todos los suministros que se les exigían, las incursiones se reanudaban.

La situación continuó siendo inestable hasta 1614, momento en el que se produjo una nueva y extraña unión que dio lugar a cierta paz. Pocahontas, hija adolescente de Wahunsenacawh, fue raptada por soldados ingleses. Su marido Kocoum resultó muerto durante el secuestro, y le arrebataron a su bebé de entre los brazos. No obstante, enseguida conoció a John Rolfe, el hombre que había iniciado las cosechas de tabaco. No se sabe a ciencia cierta si se enamoraron o Rolfe reconoció las implicaciones positivas a las que podrían dar lugar una alianza con los Powhatan, pero fuera como fuera, la liberó de su cautividad y se casó con ella en 1614. Pocahontas se convirtió así en Rebecca Rolfe, y reinó la paz entre las dos comunidades hasta su prematura muerte en 1617.

En esas fechas, Jamestown se había convertido finalmente en una colonia inglesa. Numerosas mujeres habían cruzado el Atlántico, bien llevando con ellas a sus familias o bien estableciendo otras nuevas al llegar; también llegaron africanos para trabajar en las plantaciones de tabaco, de forma que el control de Inglaterra sobre América del Norte empezó a tener un carácter de permanencia.

Otras colonias

Con las noticias del florecimiento de Jamestown, otras naciones se apresuraron a pisarles los talones a los británicos y establecieron colonias permanentes en Norteamérica. Holandeses, españoles y franceses llevaban décadas pescando y explorando las tierras y las aguas del Nuevo Mundo; ahora empezaron a fundar asentamientos permanentes.

Ya en 1608 los franceses habían fundado su primera colonia, Quebec, en lo que hoy es Canadá. Los españoles, que habían empezado a trabajar en California y en Texas, así como en Nuevo México, se concentraron más en enviar misioneros católicos para trabajar con los nativos, aunque su asentamiento de San Agustín, construido en 1565, se convertiría en la primera ciudad habitada de América del Norte.

La Compañía holandesa de las Indias Occidentales se interesó también por las tierras y los recursos de América del Norte. Los colonos holandeses vivían fundamentalmente en una zona entonces conocida como Nueva Holanda, actualmente Nueva York, y su primer asentamiento se construyó en 1614.

Muchos de los primeros colonos llegaron al Nuevo Mundo huyendo de las persecuciones religiosas. Los puritanos y los hugonotes franceses llegaban casi en manadas. Un grupo de hugonotes que intentó establecerse en Florida en 1564 fue uno de los primeros procedentes de Europa en fundar una colonia, pero su intento fracasó de forma fatal, puesto que los españoles que por aquel entonces controlaban la zona los descubrieron, matándolos a todos. Los Padres Peregrinos, un grupo de puritanos ingleses que llegaron a bordo del famoso *Mayflower*, tuvieron más suerte, y fundaron Plymouth, en lo que hoy es Nueva Inglaterra.

En el año 1700 miles de colonos, procedentes de toda Europa, habían llegado a América del Norte y logrado echar raíces, pese a las dificultades. La población de ascendencia inglesa de América del Norte rondaba el cuarto de millón de personas. Algunos intentaron coexistir con los nativos, otros lucharon con ellos, y la mayoría llevaron a muchos de ellos a la muerte debido a que eran portadores de enfermedades procedentes de Europa contra las que los nativos no estaban inmunizados. Por su parte, los colones se enfrentaron a las enfermedades y a unas condiciones climáticas que les resultaban absolutamente extrañas, pero fueron llegando cada vez más y terminaron acostumbrándose. Todos tenían un pasado, sus convicciones religiosas eran muy variadas, así como su origen geográfico y nacional, pero tenían una cosa en común: estaban decididos a construir por sí mismos un modo de vida propio en el Nuevo Mundo, les costase lo que les costase.

Y les costase lo que les costase a los demás.

Capítulo 4 – La guerra franco-india

Allá donde vayan las personas, la guerra siempre les acompañará.

Entre las tribus nativas de América, a lo largo de generaciones, se habían producido escaramuzas. Tras llegar los europeos, casi desde el primer momento hubo asaltos y peleas, y no resulta difícil imaginarse por qué. Lo que llamamos "colonización", a los ojos de los nativos no fue otra cosa que una invasión pura y dura. Aunque algunas tribus nativas acogieron bien a los europeos, y algunos de estos mostraron interés en aprender de sus nuevos y extraños vecinos, y en cooperar con ellos, en realidad lo más habitual fueron las tensiones, que por regla general daban lugar a enfrentamientos abiertos.

Fueron los Peregrinos, fundadores de la ciudad de Plymouth, los primeros europeos en firmar un tratado de paz con los nativos americanos. Estos 101 puritanos que llegaron desde Inglaterra en 1620 se encontraron con lo que les pareció un paraíso terrenal, lleno de campos verdes y arroyos de agua cristalina... pero habitado por un pueblo extraño, cuya lengua, cultura y creencias eran completamente distintas de las suyas. Los Wampanoags recelaban tanto de los Peregrinos como estos de los nativos. No obstante, en 1621 fueron capaces de dejar a un lado sus diferencias y firmar un tratado de paz en unos términos tan sencillos como justos. Se estableció que ninguno de los dos pueblos haría daño al otro, y que quien violara los términos del tratado sería entregado al otro pueblo para que fuera castigado de acuerdo a sus reglas. Dichos términos resultaron lo suficientemente estrictos y claros como para durar casi un siglo.

Enfrentamientos entre europeos en América del Norte

La primera guerra que tuvo lugar en América del Norte no fue entre europeos y nativos americanos, sino más bien el reflejo de la gran conflagración que en aquella época consumía a toda Europa.

En 1739, cerca de la costa de Cuba, un soldado español abordó el barco de Robert Jenkins, un comerciante inglés. La tensión entre España e Inglaterra hizo que el soldado le cortara la oreja de un espadazo al inglés. No contento con eso, le entregó el órgano a su dueño, diciéndole que se lo entregara al rey de Inglaterra. Y Jenkins así lo hizo, lo que dio lugar al conflicto bélico con el nombre más curioso que ha habido en la historia: la guerra de la Oreja de Jenkins. Cuando estalló la guerra de sucesión de los Austrias, en 1740, embebió la de la oreja de Jenkins y, lo que es peor, provocó un complicado enfrentamiento entre las distintas potencias europeas, que estalló en todas direcciones.

Esa guerra, pese a su lejanía, afectó de lleno a las colonias norteamericanas. Franceses, ingleses, españoles y holandeses habían coexistido de forma más o menos pacífica durante más de un siglo, enfrascados en otros problemas más acuciantes: las difíciles relaciones con los nativos, las nuevas y extrañas enfermedades y la supervivencia en una tierra nueva y a veces hostil. Pero las cosas cambiaron radicalmente en 1744, tras el estallido de la guerra del Rey Jorge. Los franceses y los ingleses se enfrentaron entre ellos, aunque en el lejano escenario norteamericano. Una de las batallas más importantes fue la que tuvo lugar en Louisburg, una fortaleza francesa situada en la isla de Cape Breton de Nueva Escocia (Canadá). Los franceses tenían una gran confianza en la capacidad de resistencia de su fuerte, por lo que su captura en 1475 por parte de los británicos, después de un sangriento sitio de seis semanas en el que ambos bandos sufrieron grandes pérdidas, los enfureció.

La guerra terminó en 1748 con un tratado mediante el cual la mayoría de las conquistas realizadas por cada parte fueron devueltas, de modo que la situación quedó más o menos igual que antes de estallar la guerra. A los colonos americanos que lucharon del lado de los ingleses les pareció injusto, innecesario e inadecuado tener que devolver Louisburg a los franceses, una plaza que tan cara de ganar les había resultado. De hecho, perdieron cientos de hombres para lograr hacer caer la fortaleza; y ahora, un grupo de políticos y militares que posiblemente no habían visto siquiera una sola batalla en su vida, sentados en mullidos sillones y a miles de kilómetros de distancia, ahora les arrebataban la ciudad por razones que no eran capaces de entender. Es muy posible que este incidente fuera el primer paso de la ruptura entre América y Gran Bretaña.

Pero antes hubo que lidiar con el enfrentamiento entre las colonias británicas y francesas de América del Norte; por otra parte, las escaramuzas y las luchas abiertas con los nativos se iban volviendo cada vez más frecuentes y violentas. La guerra franco-india era inminente.

Una advertencia a los franceses

El joven mayor tuvo que calarse el sombrero casi hasta los ojos para protegerse de la nieve helada que le golpeaba de frente y con furia vengativa. De hecho, algunos trozos de hielo le golpeaban el cuello y tuvo que levantar el cuello del abrigo rojo para protegerse, pese a que tenía los dedos casi helados. Cabalgaba a duras penas por el valle del río Ohio. Sabía que se trataba de uno de los terrenos más fértiles de toda Norteamérica, de los más valorados por los americanos de origen británico debido a la riqueza del suelo y su fácil acceso al Ohio, lo que les permitía transportar mercancías en barco en dirección al Mississippi para comerciar con ellas. Sin embargo, ahora, a sus ojos, no era más que una tierra yerma de hielo y rocas. Tenía que guiar con cuidado su caballo para abrirse camino para salir del territorio británico y llegar a Fort LeBoeuf, controlado por los franceses.

El mayor solo tenía veintiún años, y sintió una extraña mezcla de temor y entusiasmo al contemplar la fortaleza francesa. Era el mes de diciembre de 1753, y habían pasado dieciséis años desde el fin la guerra del rey Jorge, el último conflicto entre franceses y británicos. Pese a su juventud, se acordaba de aquello, y pese al tratado de paz que se había firmado, estableciendo una tenue barrera entre ambas naciones, seguía considerando a los franceses como el enemigo. Y más ahora que su comandante en jefe le había enviado allí para entregar una advertencia. Se tocó el bolsillo del pecho mientras el caballo avanzaba hacia las puertas de la fortaleza, para asegurarse de que la carta seguía allí. Robert Dinwiddie, gobernador de Virginia, había redactado el mensaje para advertir a los franceses de que debía permanecer apartados de las zonas del valle controladas por los británicos, y el joven mayor sabía que si los franceses se negaban, Dinwiddie estaba preparado para entrar en combate. Después de todo, en ese momento había más de dos millones de americanos británicos, mientras que los franceses apenas sumaban cien mil.

Para su sorpresa, fue muy bien recibido en la fortaleza. Los mozos de cuadra se hicieron cargo inmediatamente del caballo y, tras informar sobre el asunto que le había llevado hasta allí, fue conducido a una habitación en la que crepitaba un cálido fuego. Acercó las manos al fuego, casi azules de puro frías, e intentó contener los nervios. Era la primera misión militar de verdad que le encomendaban, estaba decidido a no defraudar a Dinwiddie.

Al poco rato, un francés entró en la habitación y se dirigió a él, sonriendo amigablemente y extendiendo la mano.

—Capitán Charles Legardeur de Saint-Pierre —se presentó.

—Mayor George Washington —respondió, sonriendo sin miedo y estrechando la mano del capitán francés.

Comienza la guerra

La entrega del mensaje de Dinwiddie fue una de las primeras misiones de George Washington, y aunque la realizó sin contratiempos, la advertencia no tuvo el efecto deseado. La respuesta de Saint-Pierre fue desdeñosa, y en ella afirmaba que el rey de Francia tenía derechos sobre las tierras británicas del valle del Ohio. Dinwiddie declaró la guerra a Francia en 1754, y comenzó una larga lucha.

Pese al hecho de que los ingleses superaban abrumadoramente en número a los franceses, estos lograron inicialmente varios éxitos militares debido a sus alianzas con los nativos de la zona. Por eso esa guerra se conoce con el nombre de franco-india, sobre todo en América. En Gran Bretaña se considera más bien el escenario americano de la guerra de los Siete Años, un conflicto que afectó a toda Europa.

La alianza entre los nativos y los franceses fue fructífera. Durante tres años, los británicos apenas obtuvieron victorias sobre sobres enemigos. De hecho, durante este periodo George Washington tuvo que pasar por su primera y única rendición. En 1754, en la batalla de Fort Necessity, seiscientos franceses y cien nativos americanos atacaron y derrotaron a cuatrocientos soldados británicos encerrados y apenas protegidos por un ruinoso círculo de maderos que, con enorme optimismo, denominaban Fort Necessity.

Fue la única vez que Washington se rindió. Pero tampoco fue la única derrota británica de la guerra franco-india. Washington y otros militares libraron duras batallas contra los franceses, pero en 1757, el Primer Ministro británico William Pitt empezó a invertir dinero en la guerra de América. El incremento de recursos trajo consigo un incremento de éxitos británicos, y a pesar de que España se alió con Francia para intentar minar el creciente poder británico en el Nuevo Mundo, la guerra terminó oficialmente en 1763 con la rendición de las colonias francesas de Canadá y Florida.

Una deuda creciente

Una vez terminada la guerra, lo lógico sería pensar que las relaciones entre Gran Bretaña y sus colonias habrían mejorado debido al apoyo financiero de Pitt. Y, sin embargo, ocurrió lo contrario. Pitt había empleado en la guerra un dinero que en realidad no tenía, y tras décadas de conflictos militares en Europa y una economía casi devastada, la deuda nacional de Gran Bretaña era enorme. Con el agua al cuello, la solución de Pitt para pagarla fue aumentar sustancialmente los impuestos a las colonias británicas de América. Pero los británicos de América también llevaban años de guerra y su economía estaba maltrecha, por lo que protestaron contra el incremento impositivo. Así pues, Gran Bretaña y la América británica terminaron más enfrentados que nunca.

En cualquier caso, la guerra franco-india trajo consigo algo bueno al menos: aportó experiencia militar a un joven llamado George Washington. Un joven que iba a cambiar la historia de América.

Capítulo 5 – El Motín del té en Boston

Ilustración II: Rebeldes disfrazados de nativos americanos arrojan baúles de té al puerto de Boston

"¡Sin representación no hay contribución!"

Era el invierno de 1770, y ese fue el grito que surgió de las calles de Boston y se extendió por las Trece Colonias que habían establecido los británicos en América. Habían pasado 150 años desde que los Peregrinos fundaron Plymouth, y en ese momento la mayoría de los británicos americanos habían nacido en la propia América. Hablaban de una forma algo diferente, vestían de forma diferente y la mayor parte de ellos jamás habían pisado Gran Bretaña. Tampoco había británicos de América en el Parlamento, pero el Parlamento tomaba todas las decisiones.

Desde la guerra franco-india, esas decisiones casi siempre suponían un incremento de los impuestos y contribuciones. Primero se estableció un fuerte impuesto al papel impreso: libros, periódicos y hasta sellos de correos. Pero la cosa empeoró: también se establecieron impuestos que gravaban artículos de primera necesidad, como el cristal, el plomo y hasta el té. Esos impuestos causaron disturbios en Boston, lo que hizo que miles de soldados británicos llegaran a la ciudad para reprimirlos. Hasta algunos comerciantes y tenderos que vendían productos británicos sufrieron las represalias de los ciudadanos, furiosos con los gobernantes británicos.

La masacre de Boston

El cinco de marzo de 1770 fue un día muy frío. Las calles de Boston estaban cubiertas de nieve helada. El soldado Hugh White hacía su guardia frente al Edificio de Aduanas, y podía ver el vapor del aliento que salía de la boca y la nariz. Pero el frío no era lo único que lo mantenía tenso. Sabía que, desde hacía muchos meses, se venían produciendo altercados y reyertas multitudinarias en la ciudad. Pero lo que no sabía era que él mismo se iba a convertir en el desencadenante del incidente más violento de todos.

Mientras el soldado permanecía de pie junto al Edificio de Aduanas, era consciente de que su misión era custodiar un dinero destinado casi en su totalidad a Gran Bretaña. Boston era una ciudad portuaria, su economía dependía sobre todo del comercio y una gran parte de sus beneficios iban directos a los cofres del rey británico. Los colonos consideraban ese edificio aduanero una maldición para su ciudad, un lugar en el que se guardaba dinero confiscado antes de su transporte por barco a los dominios del opresor. Y esa tarde, un puñado de hombres decidió no seguir soportando esa situación. Surgiendo de las calles y edificios adyacentes, un grupo de colonos empezaron a insultar y a burlarse del soldado White. Levantaban los puños, lo amenazaban con derribarlo y entrar a saco en el Edificio de Aduanas para llevarse lo que era suyo por derecho.

El soldado White intentó mantener la calma y contenerlos, pero al final la situación lo superó. La multitud cada vez ejercía más presión sobre White y sus compañeros, llegando incluso a empujar a los soldados para sortearlos. Así lo hicieron, pero uno de los soldados utilizó la culata del mosquete para golpear en la cabeza a uno de los exaltados. Las gotas de sangre de la herida salpicaron la nieve, y eso fue la gota que colmó el vaso de la tensión. Los colonos empezaron a lanzar al soldado británico piedras, palos y bolas de nieve, que se puso a gritar y a amenazarlos con la bayoneta, con lo que cundió un auténtico caos gritos, amenazas y pánico. Empezaron a sonar por toda la ciudad campanadas de llamada, a las que respondieron cada vez más colonos. Pronto reunieron el valor suficiente para amenazar seriamente al soldado White y los demás, por lo que este decidió finalmente que la situación estaba desbordada y pidió refuerzos.

Un numeroso grupo de soldados británicos, al mando del capitán Thomas Preston, acudió en defensa de sus compañeros. Normalmente, la llegada de un puñado de soldados, enfadados por el ataque a sus camaradas, habría sido suficiente para calmar los ánimos y acabar con los disturbios, pero ese día no fue así. Completamente enfurecidos, los colonos se lanzaron hacia los militares británicos, y derribaron a uno de ellos. Se cree que el soldado caído disparó contra la multitud y, tras un momento de trágico silencio, otros soldados empezaron a disparar a su vez, pese a no recibir ninguna orden en tal sentido. Las balas produjeron heridas y sangre, llenando las calles de gritos de pánico y furor. Se produjo una situación caótica. Los colonos cayeron sobre los soldados, armados con palos; los soldados volvieron a disparar, y durante unos segundos enloquecidos se produjo un baño de sangre.

Una vez que pasó todo, cinco colonos resultaron muertos. Los soldados escaparon tras sufrir heridas leves, y ese hecho fue utilizado por los líderes de la colonia para agitar aún más a una multitud que se sentía maltratada en todos los sentidos. El sentimiento antibritánico se extendió como la pólvora por toda la ciudad. Los bostonianos ya habían aguantado bastante.

La Ley del Té

Uno de los impuestos más altos con el que Gran Bretaña había cargado a América era el establecido por la Ley del Té de 1773. La masacre de Boston, además de otras razones, había convencido a Gran Bretaña de la necesidad de rebajar, o incluso retirar, algunos de los impuestos; no obstante, la tasa sobre el té se mantuvo, y la cosa empeoró todavía más cuando se le concedió a la Compañía británica de las Indias Orientales el monopolio efectivo sobre el comercio del té, pues la Ley del Té permitía a la compañía venderlo sin cobrarle impuestos. Esta situación era extraordinariamente favorable y lucrativa para la compañía y para Gran Bretaña, pero desastrosa para los comerciantes independientes norteamericanos, que deseaban comerciar con su propio té. Dado que ellos sí que debían pagar tasas, su té terminaba resultando mucho más caro que el de la Compañía de las Indias Orientales, por lo que la mayoría de los americanos no tenían más opción que comprar el té británico, aunque eso perjudicaba fuertemente a la economía local.

Un grupo de revolucionarios, autodenominados los Hijos de la Libertad, se opuso frontalmente a la ley. Nacieron para enfrentarse a la Ley del Timbre, o Ley del Sello, y pronto se convirtieron en los líderes de la revuelta contra los británicos. Dirigidos por Samuel Adams, realizaron manifestaciones y protestas por toda la ciudad. Y la más importante de todas tuvo lugar el 16 de diciembre de 1773. Tres barcos, el *Darthmouth*, el *Eleanor* y el *Beaver*, habían atracado en el embarcadero Griffin, todos ellos con enormes cargamentos de té de la compañía monopolística británica.

El motín del té de Boston

Esos grandes cargamentos de té fueron la gota que colmó el vaso de la paciencia de los enrabietados habitantes de Boston. Miles de ellos se reunieron en el muelle, y la protesta fue tan vehemente que tuvo que convocarse una reunión en una sala de reuniones, la Old South, con el objeto de escuchar la opinión de los colonos acerca del cargamento recién llegado. El resultado de la votación final fue casi unánime: el té no podría venderse, ni siquiera descargarse en Boston; o bien se lanzaría por la borda o bien se devolvería a Gran Bretaña mientras la injusta ley siguiera minando la economía local.

La votación fue desautorizada de forma casi instantánea. El gobernador Thomas Hutchison no hizo el menor caso a los ciudadanos y ordenó el desembarco de la carga. Los estibadores locales se negaron a descargarla, e inmediatamente se forjó un plan para que ese té no se consumiera en Boston bajo ningún concepto.

Cuando la oscuridad se cernió sobre el muelle, un grupo de hombres se reunió en una colina cercana. Pese a los tocados de plumas que adornaban las cabezas de muchos de ellos y los *tomahawks* que llevaban en las manos, ninguno de ellos eran nativos americanos. Eran colonos de Boston, disfrazados de guerreros Mohawk y decididos a inutilizar como fuera el cargamento de té.

El grupo lo componían entre treinta y ciento treinta hombres; el puerto estaba rodeado de barcos de guerra británicos. Las posibilidades de éxito eran escasísimas, pero el furor de los colonos les hizo superar el peligro. Con la llegada de la noche cerrada, cayeron sobre los tres barcos y, animados por los gritos de su líder, los colonos rompieron los candados, entraron por las escotillas y se hicieron con los bultos. Les esperaban trescientos cuarenta y dos cofres de té, un cargamento que, a día de hoy, estaría valorado en más de un millón de dólares. Uno por uno, fueron subiendo los cofres a la cubierta, los abrieron ayudándose de los *tomahawks* y lanzaron los paquetes por la borda. A la luz de los faroles se veían volar por millones las hojas de té, y cada una de ellas representaba el dinero que tanto la Compañía británica de las Indias Orientales como la Corona británica estaba perdiendo irremediablemente. Y cada hoja era un símbolo de triunfo para los rebeldes, que lanzaban gritos de triunfo mientras vaciaban los cofres. Pese al estruendo de las salpicaduras y de los gritos de guerra, no se produjo ni el más mínimo intento de detenerlos.

Al final de la noche no quedaba un solo cofre, todos habían sido arrojados a las aguas del puerto. No hubo heridos, y los colonos habían dejado clara su postura: los impuestos británicos se habían acabado.

Las Leyes Intolerables

Pese a que no hubo violencia, los británicos dejaron también muy clara su reacción a la protesta, que pasó a la historia como el Motín del Té de Boston. En 1774, solo unos meses después de la protesta, se promulgaron una serie de leyes, que los británicos denominaron Leyes Coercitivas y los americanos rebautizaron como Leyes Intolerables. Fuera como fuera, su intención no era otra que aplastar el ánimo de los americanos y eliminar todo rastro de poder y capacidad de decisión que pudieran tener los colonos. La Ley de Quebec garantizaba que, en la provincia de Quebec, justo al norte de Ohio, se podría practicar con libertad la fe católica, algo que resultaba profundamente ofensivo para la mayoría de los colonos, que eran puritanos. La Ley del Puerto de Boston cerró al comercio dicho puerto, lo que privó a la ciudad de la mayor parte de sus ingresos. La Ley del Gobierno de Massachusetts concedió aún más poder al gobernador británico de la provincia. La Ley de Acuartelamiento obligaba a los colonos a construir barracas para las tropas británicas sin recibir nada a cambio. La Ley de Administración de Justicia establecía que los juicios contra oficiales del ejército se realizaran en Gran Bretaña, lo que de hecho impedía que los colones pudieran testificar contra los oficiales.

Esas leyes eran injustas, y como suele ocurrir con los esfuerzos de los tiranos para endurecer la presión sobre sus víctimas, resultaron inútiles. Comenzaba una nueva era.

Capítulo 6 – La Revolución americana

Y así, entre la luz y las tinieblas,
esa noche quedó escrito el destino de una nación.
Las chispas de los cascos del corcel de ese jinete
encendieron la llama de la libertad con su calor.

- Henry Wadsworth Longfellow, *"Paul Revere´s Ride"* (*"La cabalgata de Paul Revere"*)

La oscura noche del 18 de abril de 1775, un caballo castaño prácticamente volaba, acuciado por su desesperado jinete, que sujetaba las riendas con manos temblorosas en su intento por avisar de la batalla que se avecinaba. El jinete se llamaba Paul Revere. La cabalgadura, una yegua bautizada como *Brown Beauty*, "Belleza castaña" en español, cuyas potentes patas fueron capaces de trasladar a su jinete a una enorme distancia, que se convertiría en épica, para que este pudiera avisar a los patriotas de Middlesex de que una gran masa de soldados británicos avanzaba para atacar Concord. Los británicos avanzaban a paso ligero formando batallones, y las casacas rojas que vestían brillaban a la luz de los escasos faroles que, de vez en cuando, las iluminaban. Por delante de ellos, una serie de valientes jinetes cabalgaban como el viento para llevar la terrible noticia a sus compañeros rebeldes.

Las batallas de Lexington y Concorde

Tanto Revere como sus compañeros cumplieron su misión, incluso aunque varios de ellos cayeron de sus monturas, y hasta el propio Revere fue capturado y retenido brevemente en Lexington. Pese a los contratiempos de algunos de los jinetes, muchos otros cumplieron sus objetivos y transmitieron a las ciudades de Middlesex las noticias sobre el ataque de los británicos.

Cuando la avanzadilla de unos doscientos cuarenta soldados británicos llegó a Lexington los rebeldes estaban preparados para recibirlos. Una milicia de setenta y siete hombres se había reunido pacíficamente en el parque de la ciudad, con el objetivo de dejar clara su fuerza y determinación. Cuando el poderoso ejército británico apareció en lo alto de la colina, el oficial al mando se dirigió a los rebeldes en tono autoritario:

—¡Deponed las armas! ¡Villanos! ¡Rebeldes!

El espíritu de libertad y rebeldía puede que diera que pensar al ejército británico, pues permanecieron de pie, sin quitar ojo a un enemigo perfectamente armado y organizado y que los triplicaba en número. No obstante, estaba claro que atacar era una locura. Su comandante les dio la orden de dispersarse, pero sus gritos se perdieron entre el estruendo de las voces inglesas. Por tanto, solo algunos de los rebeldes rompieron filas, mientras que los demás se agruparon y se prepararon para la batalla.

En ese momento se escuchó un disparo, al que siguió el inconfundible olor a pólvora. La historia no ha sido capaz de dilucidar quien hizo ese primer disparo, pero lo hubo, y sembró el caos entre las filas de soldados. Asustados, los británicos realizaron una descarga contra los milicianos, y las balas disparadas por los mosquetes alcanzaron de lleno a los rebeldes agrupados. Los colonos devolvieron el fuego, y con ese intercambio se inició la Revolución americana.

Desde Lexington a Concord, desde Boston a Cambridge, y finalmente el mismísimo istmo de Charlestown, los milicianos rebeldes acosaron constantemente a los británicos. Esos primeros setenta y siete se convirtieron en más de tres mil. Aunque al principio los británicos parecían tener las de ganar, pronto fueron abrumados por los colonos, que los pusieron en fuga hasta conducirlos al istmo de Charleston, junto a Boston, al abrigo del apoyo naval. Los británicos quedaron paralizados por el devenir de los acontecimientos, pues no esperaban que los colonos presentaran una resistencia tan fiera.

La Revolución americana

La batalla de Bunker Hill, la más importante de la Revolución, tuvo lugar el 17 de junio de 1775 en Breed's Hill. La apuesta de los británicos para expulsar de Boston a los americanos fue un fracaso total, y solo sirvió para elevar la moral de los rebeldes y convencerlos de que podrían expulsar a los británicos del continente, que ya reclamaban como propio. El propio George Washington, ahora general, condujo a las tropas a la lucha; en marzo de 1776 ya había obligado a miles de soldados británicos a abandonar Boston, manteniendo así un firme control de la ciudad. Tras la firma de la Declaración de Independencia el cuatro de julio de 1776, la guerra alcanzó su punto culminante.

Los continuos éxitos de los americanos empujaron a las tropas británicas a Canadá y Nueva York. Durante la primavera de 1776 las cosas estaban resultando prometedoras para los americanos, pero esta situación no duró demasiado. Gran Bretaña empezó a enviar más y más tropas, pues estaba absolutamente decidida a no perder sus derechos sobre el Nuevo Mundo; el ejército británico crecía cada vez más, y durante la segunda mitad de 1776 y la primera de 1777 lanzaron ofensivas que resultaron demasiado intensas para los americanos. El propio Washington fue derrotado en cinco batallas, de las seis que libró. En el otoño de 1977 las cosas estaban francamente feas para el bando rebelde, pero todo cambió tras las dos batallas de Saratoga. Un potente ejército americano, a las órdenes del general Horatio Gates. Su táctica fue bombardear duramente a las tropas británicas, situadas en campo abierto, y utilizando la cobertura de un denso bosque. Los británicos se vieron obligados a rendirse.

Tras esta dolorosa derrota, Gran Bretaña buscó desesperadamente alianzas con otras potencias, pero solo lograron reclutar mercenarios hesianos alemanes. Los acontecimientos sufrieron un giro bastante extraño e inesperado, pues las colonias francesas, que tan duramente habían luchado contra los americanos en la guerra franco-india, que había iniciado la llama de la Revolución, se convirtieron en unas valiosísimas aliadas de las tropas americanas, y declararon la guerra a Gran Bretaña en 1778.

Durante los tres años siguientes, la guerra tuvo dos escenarios bastante diferentes. Por una parte, se llegó a un punto muerto frustrante en el norte, mientras que en el sur se sucedían una serie de batallas muy cruentas. En el sur había bastante población leal a los británicos, por lo que una buena parte de la zona permaneció bajo control inglés hasta 1781. A principios de ese año el general Nathanael York cosechó una serie de victorias gracias a las que, finalmente, a finales de ese mismo año, la mayor parte del territorio pasó a control de los americanos.

La batalla de Yorktown

En septiembre de 1781, el teniente general Charles Cornvallis, comandante en jefe de las fuerzas británicas, solo disponía de nueve mil efectivos, mientras que Washington había logrado juntar bajo su mando a diecisiete mil. Los británicos se habían concentrado en la península de Yorktown, en Virginia, uno de los primeros territorios en los que los británicos se asentaron cuando llegaron a América del Norte. Ahora se encontraban atrapados y hacinados en una fortaleza, desde la que observaban el avance de las tropas de Washington, cuya fortaleza y determinación eran imposibles de igualar por parte de Cornvallis.

Washington sitió York el 28 de septiembre de 1781. Tras una resistencia de tres semanas, los británicos se rindieron el 19 de octubre. Todo el ejército se rindió, por lo que la lucha en todo el continente había finalizado. Todavía se produjeron algunas escaramuzas navales y terrestres contra lealistas británicos, pero la guerra había terminado, y todo el mundo lo reconoció. En 1783,

Gran Bretaña terminó reconociendo la independencia de América con la firma del Tratado de París. Finalmente, el mundo reconoció la Declaración de Independencia.

Capítulo 7 – El primer presidente

Ilustración III: George Washington. Retrato de John Trumbull

Una vez finalizada la Revolución, América se convirtió en un nuevo estado independiente que debía encontrar un sistema para gobernarse pacíficamente a sí mismo tan eficaz como lo había sido durante la guerra. No era una tarea fácil. En ese momento de la historia, casi todo el mundo estaba gobernado por alguna forma de monarquía; el mismo Nuevo Mundo no era otra cosa que un conjunto de colonias dirigidas por alguna superpotencia europea, y la democracia era un concepto que apenas había aparecido en el resto del mundo. Los reyes y las reinas seguían tomando las decisiones que afectaban a sus pueblos. Pero América era una nación recién constituida, un lugar en el que la clase social o los derechos de nacimiento no tenían ni mucho menos la importancia que sí que se les daba en Gran Bretaña. Las tremendas luchas de los primeros momentos de la colonización habían deparado una nación cuyo pueblo estaba mucho más enfocado hacia la supervivencia que hacia los convencionalismos. Hasta la Iglesia, casi completamente protestante, en comparación con los católicos europeos y los anglicanos británicos, era muchísimo más liberal.

Los Artículos de la Confederación

Muy poco después de haber finalizado la Revolución, América empezó a regirse siguiendo los artículos de la Confederación. Los estados eran gobernados por el Congreso, formados por representantes de dichos estados, y todas las decisiones se votaban a su vez en cada uno de los estados. Para realizar cambios sustanciales, se necesitaba el voto favorable de al menos nueve de los trece primeros estados. Esta forma de hacer las cosas intentaba unificar los distintos estados, cuyo origen básico eran las Trece Colonias. Pero los resultados no pudieron ser peores.

De entrada, podía parecer una buena idea, pues nadie tenía así un control absoluto sobre la nación; se esperaba que, de esta forma, podría evitarse el tipo de tiranía que solía producirse en Europa, sometida al egoísmo y el ansia de poder de los monarcas. Por desgracia, la Confederación pronto dio lugar al caos, debido a que casi todos los estados se aferraron a su propio poder y entraron en conflicto en lucha abierta por los recursos y las cuestiones fronterizas.

Pronto quedó claro que América necesitaba un líder capaz de unificar a los distintos estados y dirigirlos a una nueva era de paz y prosperidad. Todos habían luchado duramente por la independencia, por lo que era irracional enzarzarse en luchas domésticas. ¿Y quién mejor para liderar al nuevo país que el hombre que había luchado como nadie en el campo de batalla para establecerlo?

Una elección unánime

La Convención Constitucional tuvo lugar en el año 1787, en Filadelfia. Allí se pergeñó la Constitución de los Estados Unidos. Este documento básico estableció los fundamentos sobre los que se construiría la gobernación del nuevo estado, y aunque con el paso de los siglos se establecerían varias enmiendas, sigue siendo la piedra angular de la ley americana. En la convención se decidió también que se elegiría un presidente. Al parecer, para Colegio Electoral resultó obvio que solo había un hombre adecuado para ejercer ese papel. George Washington había mostrado su temple en el campo de batalla innumerables veces, además de ser un hombre culto y descendiente de una familia aristocrática británica, lo que sin duda procuraría el respeto de la propia Gran Bretaña. No obstante, su voluntad de independencia y la determinación a la hora de establecer un gobierno más justo que los de las tiránicas monarquías del Viejo Mundo eran absolutamente americanas. A principios de 1789, el Colegio Electoral, formado por delegados de todos los estados, realizó la votación. George Washington fue elegido por unanimidad, y es el único presidente de la historia de los Estados Unidos que ha ostentado semejante honor.

Solo había un problema, aunque no menor: Washington no quería ser presidente. A los cincuenta y siete años, tras haber librado en primera línea dos largas guerras, debido a ello, haber presenciado más derramamiento de sangre de lo que un hombre puede soportar, por mucho temple que tenga, lo único que quería era pasar en paz los años que le quedaran de vida. Su deseo era retirarse a la bonita granja que poseía en Mount Vernon, desde la que poder mirar sin cansarse los pacíficos campos y el paisaje que los rodeaba, y gozar de la independencia y la tranquilidad por la que tanto había luchado para su país. Seguro que le pareció que ya había entregado demasiado. No obstante, la necesidad y el ansia de la nación por tener un líder era insaciable, y el ofrecimiento casi rayano en la terquedad: la gente quería a Washington, y solo a él. Finalmente, y a regañadientes terminó aceptando el cargo, y tomó posesión del mismo en abril de 1789, en la ciudad de Nueva York, que en aquellos momentos era la capital de América.

La primera presidencia

Para este presidente no había precedentes. No solo era el primero de América, sino que en casi ningún otro lugar del mundo existía esa figura política. La democracia daba sus primeros balbuceos, así que no existían modelos a seguir. El concepto de líder al servicio del pueblo, en contraposición con el de un monarca, era absolutamente nuevo. "Camino por un terreno virgen". Son palabras textuales suyas.

La política de la nueva América era pionera. Una de las características más definitorias de la presidencia de Washington fue su determinación a la hora de demostrar que no era un dirigente egoísta, y que su objetivo era ayudar a su pueblo y preocuparse por él, no explotarlo en su propio beneficio; al contrario que los reyes y las reinas del Viejo Mundo, que amasaban todas las riquezas que podían y procuraban llenar sus cofres en lugar de alimentar a su pueblo, Washington al principio ni siquiera aceptó recibir siquiera un salario. Quería establecer ciertos estándares de dedicación y ausencia de egoísmo para los presidentes venideros. Durante su primer mandato logró aportar estabilidad a la nueva nación y enfrentarse al problema de la enorme deuda nacional que había dejado la Revolución. Washington también logró estabilizar las finanzas del país.

Cuando en 1972 se convocaron de nuevo elecciones, Washington fue elegido de nuevo, y de nuevo por unanimidad. Como la primera vez, hizo lo que pudo para resistirse, pero el pueblo se negó a atenderle: lo necesitaban, y la decisión era firme y masiva. Finalmente, accedió a llevara adelante un segundo mandato, y fue una buena decisión. Gran Bretaña y Francia estaban a punto de entrar en guerra de nuevo, lo cual colocaba a América en una posición difícil. Técnicamente era aliada de Francia, pero Washington sabía perfectamente que su nueva y pequeña nación no podía implicarse bajo ningún concepto en un conflicto internacional. Sí, habían vencido a los británicos, pero la contienda había dejado exhausto y sin recursos al país. Por otra parte, el gigantesco Imperio británico no andaba lejos: Canadá fronteriza con América, seguía siendo una colonia británica. Así que, en una decisión muy sabia, Washington decidió que su país permanecería neutral, lo cual rompía los términos de su tratado con Francia. No obstante, los hechos demostraron que la decisión había sido buena. América no se vio envuelta en las caóticas guerras de la Francia revolucionaria, que se mantendrían durante décadas.

No obstante, y pese a sus grandes esfuerzos, Washington se vio obligado a luchar de nuevo. Cuando su administración decidió implantar en 1791 un impuesto sobre las bebidas alcohólicas, se produjo una revuelta bastante violenta, que se dio en llamar la Rebelión del Whiskey. El propio general, ya mayor, se encargó de capitanear una milicia que acudió a Pennsylvania a acabar con la revuelta, lo cual se hizo de forma rápida y expeditiva, dejando un mensaje más que claro. Pese a hablar continuamente de paz, la ley se haría cumplir a cualquier precio.

Un triste adiós

El edificio del Congreso de Filadelfia estaba atestado de gente cuando Washington se presentó por última vez ante su pueblo. Paseó la mirada por la multitud con una mezcla de cariño y alivio. Durante ocho años había ocupado la presidencia para servir a su pueblo, y lo había hecho lo mejor que había sabido y podido para lograr su bienestar y felicidad. Ahora iba a dirigirse a él por última vez.

—Amigos y ciudadanos —comenzó—. Ahora que se acerca el momento de elegir a otro ciudadano que administre el gobierno de los Estados Unidos...

Washington continuó con su Discurso de Despedida, un documento que hoy sigue siendo famoso y estudiado. Se considera un símbolo de los que debe ser la política americana y desde entonces se sigue utilizando para medir el nivel de los presidentes. El discurso dedica bastante tiempo a explicar su decisión de no afrontar un tercer mandato, por mucho que el pueblo quisiese que lo hiciera, en un acto de humildad y falta de egoísmo que iba a faltar de forma clamorosa en las presidencias que le siguieron a lo largo de los siglos. También se disculpó humildemente por los errores que hubiera podido cometer sin querer durante su presidencia. También perdonó a los rebeldes que habían participado en la Rebelión del Whiskey y se retiró del estrado dispuesto a disfrutar como un ciudadano más "de la influencia positiva de las buenas leyes, defendidas por un gobierno libre; ese ha sido siempre el objetivo que más he deseado, y de la feliz recompensa que comporta el apoyo mutuo, el trabajo y la defensa común ante el peligro.

Durante los dos años siguientes, eso fue exactamente lo que hizo: disfrutar de sus logros y de los de su país, que no existía cuando nació. Murió en paz en su amada granja, en el año 1799.

Capítulo 8 – Tiempos de inquietud

Tras la salida del cargo de George Washington en 1797, John Adams fue elegido presidente. Había sido vicepresidente con George Washington y parecía un líder capaz, pero su mandato pronto se vio acuciado por la violencia.

El caso XYZ

Incluso antes de que finalizara la presidencia de Washington, los franceses tuvieron un contencioso con los Estados Unidos. Desde que el nuevo país firmó el Tratado de Jay con Gran Bretaña, que resolvía con bastante efectividad muchos de los conflictos que enfrentaban a ambos países en un plano de igualdad, los franceses se mostraron resentidos y amargados. Habían luchado del lado de los americanos durante la Revolución, por lo que les parecía extremadamente injusto que, en ese momento, América se pusiera del lado de Gran Bretaña, un país enemigo de Francia. De hecho, hasta llegaron a apoderarse de barcos mercantes americanos.

En un intento de reestablecer las relaciones diplomáticas con Francia, John Adams envió a París a tres diplomáticos americanos, para que se reunieran con el Ministro de Asuntos Exteriores francés. De entrada, el ministro se negó incluso a recibirlos; después de arduas negociaciones, accedió a hacerlo, pero solo si le pagaban un soborno personal y América aceptaba prestar dinero a Francia, más o menos a fondo perdido. Completamente horrorizados, los americanos se negaron. En 1798, el Congreso rescindió el Tratado de Alianza con Francia, por lo que ambas naciones quedaron a un paso de la declaración de guerra abierta.

La Cuasi-Guerra

Aunque Adams se vio obligado a prepararse para la guerra y creó un Departamento de Marina que, de forma inmediata, inició la construcción de barcos de guerra, fue lo suficientemente hábil como para no declarar abiertamente las hostilidades. Sin embargo, algo había que hacer para responder y evitar los ataques franceses a barcos mercantes americanos. Los barcos de guerra americanos recibieron permiso para atacar barcos franceses, y se enviaron varios para vigilar las costas cercanas a Long Island.

Uno de ellos era el *Constellation*, un hermoso barco que recibió ese nombre en referencia a las quince estrellas que, en ese momento, formaban parte de la bandera norteamericana. Se trataba de una elegante fragata, de alto velamen y armada con treinta y ocho cañones. Estaba al mando del capitán Thomas Truxtun, y se convirtió en uno de los barcos de más éxito da la Armada americana de la época, después de su primer éxito en el enfrentamiento con un poderoso barco de guerra francés, *L'Insurgent*, que un frío día de invierno, el 9 de febrero de 1799, patrullaba las costas de las Indias Occidentales. Las pacíficas aguas del Caribe se llenaron de restos y de sangre debido al terrible fuego cruzado entre ambos barcos. *L'Insurgent* se acercó lo suficiente como para intentar el abordaje del *Constellation*, pero Truxtun fue capaz de maniobrar con habilidad, alejándose del barco francés y devolviendo el fuego con saña. Completamente superado, *L'Insurgent* no tuvo más remedio que rendirse.

Aproximadamente un año después, el *Constellation* volvió a librar otra batalla de esa guerra no declarada. El uno de octubre de 1800 se cruzó con *La Vengeance*. Pese a que el barco francés tenía doce cañones más que el americano, este realizó unas descargas tan intensas y continuas que obligaron a huir a *La Vengeance*.

Aunque los americanos perdieron miles de navíos mercantes durante esta cuasi-guerra, también fueron capaces de apoderarse de ochenta y cinco barcos de guerra franceses. Las cosas pintaban bien para los EE. UU. cuando, finalmente, los diplomáticos consiguieron negociar una resolución pacífica a esa guerra nunca declarada. El 30 de septiembre de 1800 se firmó el Tratado de Mortefontaine.

El presidente Thomas Jefferson

Adams se mantuvo en la presidencia el tiempo suficiente para ver el final de la cuasi-guerra. Thomas Jefferson, que en su momento escribió la Declaración de Independencia, inauguró su mandato en 1801 y se mantuvo en el cargo durante dos periodos, ambos bastante pacíficos. Fue un tiempo de exploraciones e inventos, y también durante su mandato América dejó de participar en el horrible sistema "comercial" denominado El Pasaje del medio (*Middle Passage* en inglés), un sistema de intercambio de mercancías por esclavos y de traslado y venta de los mismos a través de las aguas del Atlántico. La esclavitud seguía formando parte integral del sistema americano, pero el comercio de seres humanos procedentes de África terminó por fin.

Durante el segundo mandato de Jefferson Robert Fulton inventó el barco de vapor. Su apoyo a la inventiva y los descubrimientos se plasmó, entre otras cosas, en un decidido apoyo logístico y financiero a la expedición de Lewis y Clark, que cruzó todo el territorio de los estados Unidos hacia el oeste. Además, negoció la compra del territorio francés de Luisiana por un valor de unos quince millones de dólares (según el valor actual de lo pagado), lo que permitió el acceso de los Estados Unidos al valioso puerto de Nueva Orleans y al río Mississippi. Su productiva residencia finalizó en 1809, y para sustituirlo resultó elegido James Madison, el arquitecto de la Constitución americana.

La guerra de 1812

Madison llevaba tres años en la presidencia y América se estaba acostumbrando por fin a vivir en paz cuando el caos bélico volvió a sacudir Europa.

Mientras Adams y Washington, ambos pertenecientes al Partido Federalista, habían trabajado intensamente para mejorar las relaciones con los británicos, los dos siguientes presidentes eran republicano-demócratas, una formación política que estaba en contra del apoyo a los británicos, y preferían la alianza estable con Francia. Con los republicano-demócratas al mando, las relaciones con Gran Bretaña fueron empeorando progresivamente con el paso de los años. El comercio se resintió debido a los conflictos, tanto con Francia como con Inglaterra, y para terminar de empeorar las cosas, ambas potencias europeas peleaban por los derechos a establecer relaciones comerciales preferentes con América. Los comerciantes americanos estaban inquietos ante la posibilidad de que sus relaciones con Europa se deterioraran y no pudieran enviara sus mercancías; y los granjeros más aún, por si los mercados potenciales de sus productos quedaran cerrados. Además de todo esto, los británicos reclutaban a la fuerza marinos americanos para su flota de guerra, lo que constituía un auténtico secuestro. Finalmente, Madison firmó una declaración de guerra contra Gran Bretaña. Una vez más, británicos y americanos se enfrentaban abiertamente.

Gran parte de esa guerra se libró en la frontera con Canadá, pues los Estados Unidos realizaron tres intentos de invasión del país vecino, controlado por los británicos. Ninguno de ellos tuvo éxito; por el contrario, los ingleses establecieron alianzas con tribus nativas del noroeste de América, y se produjeron varias batallas entre las fuerzas estadounidenses y británicas, que contaban con el apoyo de las tribus indias, que perdieron los americanos. Durante más de dos años reinó el caos, que se llevó por delante miles de vidas de ambos bandos, hasta que en la Nochebuena de 1814 se firmó en Europa un nuevo tratado de paz.

El problema fue que nadie en América sabía que se había firmado tal tratado. En aquellos días no existía el teléfono, ni mucho menos Internet; la única forma de comunicarse era por carta o mediante mensajeros, que tardaban más o menos un mes en trasladarse de Europa a América. Así pues, la batalla más decisiva de la guerra de

1812 se libró cuando la guerra había terminado, al menos de manera oficial. Se trató de la batalla de Nueva Orleans del 8 de enero de 1815, con el resultado de una violenta victoria de las tropas americanas, dirigidas por el general Andrew Jackson, que había sido prisionero de los ingleses durante la guerra de la Independencia. Jackson montó una línea de fuego impenetrable que forzó a los británicos a retroceder. Así pues, pese a que la guerra había terminado oficialmente en un acuerdo equilibrado, la batalla de Nueva Orleans hizo que el pueblo americano considerara que había ganado la confrontación.

Capítulo 9 – El horror para los nativos

El eco de miles de pies avanzando por el sendero polvoriento resonaba por todo el paisaje. Una enorme fila de hombres, mujeres y niños se extendía más allá del alcance de cualquier mirada, envuelta en una enorme nube de polvo, enfermedad y desánimo. El árido terreno parecía incapaz de producir ni siquiera un girasol, por no hablar de ningún tipo de alimento. Y, aunque lo hubiera, no existía la posibilidad de detenerse a cazar ni a recolectar. Solo se podía marchar y seguir marchando, día tras día, más de mil quinientos kilómetros, y siempre a pie.

Los únicos caballos pertenecían a los blancos, que los montaban con las armas siempre a punto, haciendo gestos de enfado y amenaza si alguno de los nativos se atrevía a demostrar de alguna manera su contrariedad, o aflojaba el paso. Lo único que se podía hacer era agachar la cabeza, mirarse los pies y seguir adelante. Con cada paso, el hogar, una tierra de suelo rico y granjas, con ciudades y amistades, iglesias y escuelas, se alejaba cada vez más.

Las mujeres Cherokee mantenían a sus hijos lo más cerca que podían, como si la fuerza de su amor pudiera de alguna forma suavizar las tremendas adversidades que les aguardaban. Muchas de ellas habían muerto ya. Ahora, el pueblo, más de dieciséis mil personas, iba apretujado, como un rebaño de animales, y la situación se les hacía aún más cuesta arriba dado que su modo de vida anterior

49

era de costumbres muy higiénicas. Los niños acudían a escuelas de misioneros. Las familias vivían en casas bien construidas, y trabajaban al aire libre. Tenían un idioma propio, no solo hablado, sino también escrito. Hasta imprimían periódicos y componían canciones. La nación era gobernada por una administración elegida por su propio pueblo. Prácticamente todos ellos habían apostado por integrarse, por asimilarse a los hombres blancos, para no ser destruidos y eliminados de la faz de la tierra, como había ocurrido con muchos de sus vecinos. Pero ya no quedaba nada de eso, solo podían marchar, algunos incluso esposados, y procurar sobrevivir.

El ruido de las toses reinaba entre las desordenadas filas mientras se alejaban de sus tierras ancestrales de Georgia, Alabama, Carolina del Norte y Tennessee. Al igual que los Chicksaw, los Choctaw y los Creek, los Cherokee llevaban viviendo allí desde hacía muchísimas generaciones. Incluso desde la llegada de los primeros colonos, muchos de ellos habían convivido pacíficamente con ellos, aunque otros habían luchado, dando lugar a sangrientas masacres en las que tanto los blancos como los nativos cometieron asesinatos en masa y crueldades inimaginables. Pero, finalmente, la codicia del hombre blanco se había impuesto. Los Cherokee, como todos los demás, iban a ser reubicados a la fuerza, y obligados a marchar a punta de pistola o rifle hacia un lugar desconocido que los blancos llamaban "el país indio". En ese momento, con montones de niños enfermos y muriendo alrededor, las enfermedades campando por sus respetos entre las maltrechas y sucias filas, muchos de ellos incluso habían perdido la esperanza de llegar a ver siquiera ese supuesto país indio. Otros hasta se preguntaban si existía en realidad.

Esos pensamientos tan tristes no eran infundados. Cuando llegaron al país indio, en una zona de lo que hoy es Oklahoma, la cuarta parte de los Cherokee había muerto de hambre o de alguna de las muchas enfermedades infecciosa que sufrieron durante la despiadada marcha. La ruta de casi dos mil kilómetros que habían recorrido fue llamada a partir de entonces el Sendero de las Lágrimas, un camino de angustia y sufrimiento que jamás olvidarían.

La presidencia de Jackson

Todo comenzó el cuatro de marzo de 1829, cuando Andrew Jackson tomó posesión de la presidencia de los Estados Unidos. La cosa tenía su lógica, teniendo en cuenta que la naciente democracia limitaba el voto solo a los hombres blancos, y ni los nativos americanos, las mujeres ni, por supuesto, los esclavos, podían ejercerlo. Si todos esos colectivos hubieran tenido algo que decir, Jackson jamás hubiera podido ni acercarse al edificio recién construido de la Casa Blanca. La antigua residencia presidencial fue quemada por los británicos en 1814.

Para todos aquellos que tenían derecho a votar, Jackson era un héroe: había sido el que había derrotado a los británicos en la batalla de Nueva Orleans. Fue su línea de estacas y rifles, "la línea de Jackson" la que mantuvo a raya al gran ejército de casacas rojas y, finalmente, lo obligó a salir huyendo para adentrarse en la espesura. Había demostrado ser duro, tenaz y decidido, así como capaz de hacer lo que fuera necesario para defender los intereses de los que él consideraba que estaban bajo su responsabilidad.

El problema era que nunca había considerado a los nativos americanos hombres del mismo tipo que el resto de los ciudadanos de los Estados Unidos. Antes de la guerra de 1812, las acciones militares de Jackson consistieron casi exclusivamente en batallar contra los indios. Dedicó mucho tiempo a derrotar a la nación Creek, a la que arrebató más de veintidós millones de acres para entregárselos a potenciales granjeros. Como es lógico, esto hizo que se ganara una gran popularidad entre los colonos, que, una vez convertido en presidente, esperaban más acciones de ese tipo. Y no los decepcionó, en absoluto.

La Ley de Traslado Forzoso de los indios

Desde los comienzos de la década de 1830, Jackson presionó para que se obligara a los nativos americanos a abandonar sus fértiles y deseables tierras del sur y ser conducidos al noreste, a praderas estériles que en realidad no le interesaban a nadie. El hallazgo de oro en Georgia no hizo más que empeorar las cosas. Incluso antes de que se decretara la nueva legislación, muchos granjeros que hasta ese momento habían convivido en paz con sus vecinos nativos empezaron a mirarlos con recelo. Algunos nativos americanos, por su parte, tampoco contribuyeron a mejorar la situación con su comportamiento, atacando de cuando en cuando granjas y hasta raptando niños a los que poder utilizar en negociaciones posteriores con los blancos; eso no hizo más que reforzar la creencia de que esos "indios" no eran más que salvajes y malignos, e incluso, en cierto modo, inferiores a los humanos.

A escala nacional, Jackson estaba haciendo todo lo que estaba a su alcance para arrebatar la mayor cantidad de tierra posible a los nativos americanos. Incluso antes de alcanzar la presidencia, contribuyó a que se negociaran tratados para intercambiar las tierras del sur y del este por territorios inexplorados del oeste. Pese al hecho de que los nativos probablemente sabían que las tierras del oeste serían infértiles y pobres en comparación con las que habitaban en ese momento, muchos de ellos aceptaron, sabiendo que, en realidad, no tenían otra alternativa. La guerra contra el hombre blanco les llevaría irremediablemente al desastre, por lo que era mejor irse al oeste, esperando que, al menos, allí no los molestaran.

Antes de ser presidente, Jackson persiguió sin piedad a los nativos americanos, y participó activamente en las guerras contra los semínolas, durante la década de 1810. En 1830 las cosas se pusieron aún peor para los nativos cuando Jackson por fin consiguió que se aprobara la Ley del Traslado Forzoso. Dicha ley permitía a Jackson negociar tratados con los nativos americanos que los forzaran a dejar sus tierras del este y emigrar al oeste del Mississippi. Argumentando que los nativos americanos carecían del suficiente conocimiento como para tomar sus propias decisiones, Jackson convenció al Congreso de que el traslado iba a ser algo bueno para ellos. Se suponía que la ley solo podría aplicarse para realizar reubicaciones pacíficas y voluntarias; se suponía que los nativos que no aceptaran abandonar sus tierras actuales tendrían garantizada la ciudadanía y la permanencia en el estado en el que residían. Pero con un presidente tan contrario a los nativos, eso no ocurrió. Los Choctaw, que firmaron un tratado en 1830, fueron los primeros en partir hacia el oeste, esperando poder desarrollar allí una vida mejor. Algunos se quedaron atrás, pero recibieron un trato tan deplorable por parte de sus vecinos blancos que finalmente optaron por vender sus granjas y marcharse.

Los Cherokee no se dejaron engañar con tanta facilidad. Al principio unos quinientos cherokee, a los que se los denominó "el grupo del tratado" firmaron en 1835 el tratado de New Echota, Parecía que iban a seguir el ejemplo de los Choctaw y marcharse sin más. El tratado implicaba renunciar a las tierras del este a cambio de una compensación económica, nuevas tierras en el oeste y ayuda para el desplazamiento. No obstante, la mayoría de los miembros de la tribu, incluido el consejo de jefes, no estuvo de acuerdo con el tratado. El jefe John Ross redactó un manifiesto contra el tratado, que firmaron alrededor de dieciséis mil miembros de la tribu. Este manifiesto por sí mismo tendría que haber servido para invalidar el tratado firmado por una minoría, pero fue ignorado por completo.

El Sendero de las Lágrimas

El 1836, la nación Creek sufrió un horrible destino, que supuso una grave advertencia para los Cherokee. Los Creek habían guerreado durante décadas con los americanos blancos. De hecho, el propio Jackson había encabezado un ejército de dos mil quinientos hombres para luchar contra ellos en 1813 y 1814. Él mismo dio la orden al general John Coffee de atacar un pueblo, y la desigual batalla terminó con una masacre de ciento ochenta y seis nativos, incluyendo mujeres y niños. La carnicería fue tan horrible que hasta muchas madres Creek prefirieron matar a sus propios hijos antes de dejar que fueran brutalmente maltratados y asesinados por los soldados americanos.

Aunque la guerra había terminado, los americanos no permitieron que los Creek se quedaran en sus tierras ancestrales. En 1836, unos quince mil Creek fueron obligados a abandonar sus tierras de Alabama y marchar hacia "el País Indio" de Oklahoma. Solo llegaron once mil quinientos.

A los Cherokee les guardaba un destino parecido. Por mucho que se enfrentaron al tratado, consiguiendo incluso que la Corte Suprema decretara que la tribu Cherokee era una nación soberana, lo cual, técnicamente, debía haberles asegurado protección legal contra cualquier tipo de traslado forzoso, Jackson ignoró la ley y la decisión judicial y ordenó su partida hacia las tierras indias en 1838. Alrededor de dieciséis mil quinientos Cherokees salieron de Georgia, y unos cuatro mil murieron por el camino.

Las guerras Semínolas

Los semínolas, una tribu que vivía en Florida, también se habían enfrentado muchas veces a los americanos. El propio Jackson fue enviado para reducirlos poco después de la guerra de 1812; logró forzarlos a quedarse en una reserva situada en el centro de Florida, además de expulsar a los españoles de la península y proclamó la península como una parte más de los Estados Unidos. Pese a todo ello, los colonos presionaron para obtener más y más tierras en el nuevo estado.

Tras la aprobación de la Ley del Traslado Forzoso se volvió a intentar el traslado de los semínolas, en este caso para que abandonaran Florida y se reubicaran en Oklahoma, como los Creek y los Cherokee. Un consejo de jefes semínolas aceptó viajar a las nuevas tierras para inspeccionarlas y decidir si eran adecuadas o no para su pueblo. Aunque los jefes firmaron el Tratado de Payne´s Landing, en el que aceptaban el traslado de sus tribus, posteriormente le dijeron a su pueblo que habían sido obligados a firmar. Tras regresar a Florida, anunciaron que no permitirían el traslado de ni una sola familia.

A pesar de ello, el tratado se ratificó, y los semínolas se prepararon para la guerra. Liderados por el jefe Osceola, presentaron la mayor resistencia jamás vista hasta ese momento por parte de las tribus nativas. Desde 1835 hasta 1842 lucharon con uñas y dientes contra los americanos, decididos a no abandonar las tierras en las que vivían desde siempre. Finalmente fueron derrotados, y solo se permitió a algunas familias que se quedaran en su pequeña reserva de Florida.

No obstante, la victoria le salió cara a la nación americana: alrededor de mil seiscientos soldados resultaron muertos en esa cruenta guerra.

Finalmente, al comienzo de la década de 1840, la mayor parte de los nativos americanos habían sido trasladados a la fuerza al "País Indio". Esperaban que allí los dejaran por fin en paz, manteniendo sus nuevas tierras durante el resto de su existencia. Pero tales esperanzas se truncaron pronto. El ansia de expansión de los americanos no conocía límites. La llamada de las nuevas fronteras no iba a ser ignorada.

Capítulo 10 – El despertar

Ilustración IV: El puerto de San Francisco en plena fiebre del Oro

Las palabras de Charles G. Finney resonaron por todo el campo. Más de mil pares de ojos lo miraban fijamente, con gesto extasiado, sin poder dejar de hacerlo mientras permanecía de pie sobre un tocón y pronunciaba uno de sus discursos más famosos.

Le brillaban los ojos intensamente al predicar.

—Y, por lo que se refiere al presente, la verdad evidente es que nuestra conciencia debe aprobar en todo momento nuestra forma de comportarnos, que seamos conscientes de que hemos actuado de acuerdo con nuestra mejor intención. Sería contrario por completo a la verdad tener una idea de Dios que suponga que va a condenarnos.

Se rio abiertamente, alzando los brazos al cielo y dándose cuenta de prácticamente toda su audiencia los miraba con los ojos muy abiertos. La mayoría de ellos se habían educado en la doctrina del protestantismo, una de cuyas bases es que no hay forma de estar segura acerca de si se ha logrado o no la salvación. Sin embargo, Finney creía firmemente, y así lo transmitía, que el profundo amor que Dios sentía por Sus hijos solo podía conducir a que compartiera con ellos la felicidad eterna.

—Es nuestro Padre —continuó el predicador—, y no puede hacer otra cosa que sonreír a sus hijos, que le obedecen y confían en Él.

La multitud estalló en un enfervorizado "¡¡Amén!!". Alrededor de él, las voces de otros predicadores que se habían reunido en el lugar también se elevaron hacia el cielo, con los puños apretados, y sus audiencias también gritaban, entusiasmadas por la alegría del momento. El segundo Gran Despertar había comenzado alrededor de 1790, pero el movimiento ganó impulso gracias a predicadores como Finney.

El resurgimiento religioso

Tras el Gran Despertar, que se extendió desde comienzos de la década de 1730 hasta el final de la de 1750 tanto en Gran Bretaña como en las Trece Colonias, el Segundo Gran Despertar fue una nueva ola de fervor religioso que recorrió todos los Estados Unidos, capitaneada por predicadores poco ortodoxos. Los pastores y líderes eclesiásticos de la primera mitad del siglo XVIII normalmente habían tenido una educación universitaria. Los estudios que seguían eran tan rigurosos como los de los abogados y médicos; una vez graduados, solían caer fácilmente en la tentación de sentirse superiores a sus feligreses. Pero el Segundo Gran Despertar hizo que un nuevo sentimiento calara en los corazones de la gente: el que Dios podía utilizar a cualquier persona para transmitir su palabra, independientemente de su situación social y su educación. Así, incluso la gente normal podía ser capaz de transformar el mundo

Este fervor religioso se asentó de lleno en una nación crecida por las victorias obtenidas en las guerras en las que se había visto envuelta. Desde la Revolución y la Independencia, pasando por la guerra de 1812 y la de los semínolas, los ciudadanos de los Estados Unidos, es decir, los no nativos, no conocían la derrota. Su identidad nacional se estaba haciendo cada vez más fuerte. El himno de los Estados Unidos, *Star-Spangled Banner* ("La bandera de las barras y estrellas") estaba constantemente en los labios de todos y cada uno de los ciudadanos. Eran tiempos de paz y de prosperidad. Con los enemigos derrotados, los americanos podían empezar a pensar en algo más que la pura supervivencia.

El Segundo Gran Despertar dio lugar también a nuevos conceptos que muy pronto moldearían la historia de América: el feminismo y el abolicionismo. Pero antes, la nación se iba a centrar en el descubrimiento del oro.

El hallazgo de Sutter's Mill

Cuando James Wilson Marshall contempló por primera vez el suave brillo metálico bajo las someras aguas del río, no le dio demasiada importancia. Su mente estaba ocupada en el trabajo. Era carpintero, y estaba trabajando en la construcción de un molino de agua que le había encargado un cliente, John Sutter. Dejó de mirar el río y volvió a centrarse en la madera y los clavos con los que estaba trabajando.

Pero ese brillo que acababa de ver le había distraído. Tras unos minutos de trabajo, soltó el martillo y se acercó a investigar. Vadeó con cuidado el río American, sintiendo las frías aguas en los pies. Los dedos se le estaban helando, pues era enero. Observó los guijarros. ¿Acaso los ojos le habían engañado?

Y entonces lo vio. Algo brillante, medio escondido entre las piedrecillas. El corazón de Marshall empezó a desbocarse. Se inclinó despacio, mirando fijamente las aguas poco profundas. Tenía la boca seca. ¡Allí estaba! Una pequeña pepita que brillaba cálidamente a la luz del sol. Marshall se dobló para agarrar con dos dedos el trozo de metal. Lo sacó del agua y lo estudió a la luz del sol. Allí, sosteniéndolo con la palma temblorosa, no le cupo la menor duda de que era oro.

La fiebre del oro en California

El hallazgo de oro que hizo Marshall el veinticuatro de enero de 1848 en el río American inicialmente se recibió con recelo. El resto de los americanos simplemente no podían creerse que California atesorara tal riqueza. Ese territorio acababa ser la causa de una guerra entre América y México; su población estaba formada por unos seis mil "californianos", que en gran parte descendían de españoles, ciento cincuenta mil nativos americanos y solo unos ochocientos americanos blancos. Había solamente unas pocas granjas, no muy grandes, y unas pocas ciudades. El propio San Francisco no era más que un diminuto punto en el mapa. De todos los lugares en los que pudiera haber oro, California era el menos indicado.

Pero todo cambió unas semanas más tarde, cuando Sam Brannan, un tendero de San Francisco, se paseó por las calles de la ciudad con un frasquito lleno del brillante metal, enseñándoselo a todo aquel que lo quisiera ver. América se convenció. Después de todo, sí que había oro en California. Y, de repente, todos los americanos quisieron su parte.

La fiebre del oro de California empezó de verdad en 1849 y siguió *in crescendo* durante los primeros años de la década siguiente, hasta alcanzar su máximo en 1852. Embriagados por la sed de riqueza, miles de hombres dejaron atrás sus hogares, sus vidas y sus familias para abrirse camino hacia las minas. El setenta y cinco por ciento de los hombres que vivían en San Francisco abandonaron la ciudad. Debido a ello, muchísimas mujeres se vieron forzadas a comportarse de una manera completamente independiente, y se pusieron a dirigir granjas y negocios por sí solas, al tiempo que criaban a sus hijos y atendían los hogares. Los californianos no fueron los únicos americanos que se dirigieron a la zona fronteriza: hubo gente que viajó desde Perú, Hawái y otros estados de la Unión. ¡Llegaron aventureros hasta de la lejana China, ansiosos por llevarse su parte del ansiado metal!

Al principio el oro resultaba bastante fácil de recoger. De hecho, tan fácil como separar las pepitas del polvo o de la grava. Más tarde hubo que cribarlo para separarlo de la arena del río y, finalmente, cuando el oro fácil había desaparecido prácticamente, hubo que obtenerlo por medio de la minería hidráulica. Miles de hombres habían embargado sus hogares o se habían gastado todo lo que tenían para poder llegar a California, por lo que buscaban desesperadamente obtener beneficios de su inversión. Lo cual dio lugar a que miles de nativos americanos fueran expulsados de sus tierras ancestrales.

El duradero legado de la fiebre del oro

El impacto de la fiebre del oro de California todavía perdura en nuestros días, tanto en el estado como en el país entero. En todo el estado se establecieron cientos de pequeños asentamientos mineros, muchos de los cuales se han convertido en grandes ciudades. La fiebre del oro facilitó que California se convirtiera en el estado número treinta y uno de la unión. La economía californiana creció como la espuma, al igual que su población. Más de trecientos mil americanos emigraron al nuevo estado, de forma que la fiebre del oro dio lugar a la migración más masiva de la historia de América.

En su momento culminante, la fiebre del oro produjo más de ochenta millones de dólares en oro en un solo año. No obstante, después de 1852 la producción empezó a descender poco a poco, hasta llegar a 45 millones en 1857, y a partir de ese momento se mantuvo más o menos estable. La minería hidráulica, que producía mucho oro, pero arrasaba el paisaje, fue prohibida en 1884.

Capítulo 11 – La Guerra Civil

Mientras la fiebre del oro hacía que muchas familias se enriquecieran, y otras muchas lo perdieran prácticamente todo, los Estados Unidos se enfrascaron en una dura controversia. La petición de california de convertirse en un nuevo estado de la Unión produjo muchos enfrentamientos en el Congreso. Nadie podía negar que las tierras californianas tenían mucho valor, pero el nuevo estado planteó una pregunta clave: ¿se admitiría en él la esclavitud o no?

Durante ese periodo, la sociedad norteamericana ya estaba dividida en lo que se refería al asunto de la esclavitud. El Segundo Despertar desató una nueva marea de abolicionismo, y muchos americanos abrazaron un concepto de cristianismo que renunciaba al comercio de esclavos, por tratarse de una práctica contraria a la voluntad de Dios. La mayoría de los estados del norte habían prohibido por completo tanto el comercio como la posesión de esclavos. Sin embargo, los estados sureños defendían la esclavitud a ultranza, tanto por sus aspectos comerciales como por el hecho de que aportaba una mano de obra muy barata para la recolección del algodón, el tabaco y la caña de azúcar.

Antes de la admisión de California, la división entre los estados miembros estaba prácticamente en equilibrio, con la mitad a favor de la esclavitud y la otra mitad en contra. No obstante, la admisión de California, Oregón, Nuevo México y Utah iba a inclinar la balanza a favor de los estados partidarios de prohibir la esclavitud. Lo cual produjo un gran enfado e incluso pánico entre los estados sureños, que temían perder el poder económico y la influencia política. La guerra parecía inevitable hasta que Henry Clay planteó el Compromiso de 1850, que tranquilizó a los estados sureños pese a la admisión de California como un estado libre de esclavitud.

Caos en la frontera

Mientras miles de americanos viajaban a lo largo del continente, buscando nuevas tierras y empujando cada vez más las fronteras de la Unión, el enfrentamiento entre los grupos partidarios y contrarios a la esclavitud seguía subiendo de tono. Los pioneros que se trasladaban al territorio de Kansas eran particularmente violentos. La ley de Kansas y Nebraska permitía *de facto* al estado de Kansas decidir si permitía o no la esclavitud en su territorio, una decisión que resultó fuertemente impopular dada la abundancia de norteños conversos que no deseaban que se permitiera la esclavitud en sus tierras, pues la consideraban una actitud pecadora y criminal. Se produjeron enfrentamientos entre los antiesclavistas y los esclavistas, la mayor parte de los cuales procedía de Missouri, mientras que los contrarios al comercio de esclavos llegaban sobre todo desde Nueva Inglaterra. La violencia degeneró en numerosos enfrentamientos, varios de ellos sangrientos y que costaron bastantes vidas, y pasó a la historia como "La guerra de la frontera" y "El sangrado de Kansas".

Esas masacres fueron un anticipo de lo que estaba por venir. El equilibro de poder había cambiado, eso era innegable, pese a los esfuerzos de los estados sureños; la esclavitud no se admitía de la misma forma que antaño, y el sufrimiento de los negros esclavizados cada vez encolerizaba más a una gran parte de ciudadanos americanos. En 1861, este profundo desacuerdo daría lugar a un enfrentamiento civil a gran escala.

El comienzo de la guerra

El destino de la nación se jugó en las elecciones presidenciales de 1860. La sociedad estaba profundamente dividida. Incluso en el propio Partido Demócrata había dos facciones irreconciliables, la norteña y la sureña; los demócratas del norte eran neutrales en lo que se refería al asunto de la esclavitud, mientras que los del sur eran claramente defensores de la misma. Por su parte, el Partido Republicano, liderado por Abraham Lincoln, era radicalmente antiesclavista.

La victoria de Lincoln en las elecciones se tomó como una enorme injusticia en el sur. Lincoln no ganó en ninguno de los estados sureños, y lo que ocurrió es que esos votos esclavistas fueron superados abrumadoramente por los de los estados del norte, completamente mayoritarios. Hartos de la división, cada vez más profunda, entre el norte y el sur, un grupo de siete estados sureños, formado por Mississippi, Alabama, Texas, Luisiana, Georgia, Carolina del Sur y Florida se escindió de los Estados Unidos y formó la Confederación de Estados de América. Más tarde Tennessee, Carolina del Norte, Virginia y Arkansas se unirían a la Confederación.

Con el país ya completa y abiertamente dividido, los estados del norte, que seguían con la denominación de Estados Unidos de América, se negaron a reconocer la secesión. Lincoln y su administración temían que, de permitirse esta secesión, los Estados Unidos terminarían dividiéndose en un caótico conjunto de pequeños países, algo parecido a lo que ocurría en Europa, en la que las guerras venían siendo habituales siglo tras siglo. El 12 de abril de 1861, un ejército confederado se apoderó de Fort Sumter, en la bahía de Charleston, y allí se dispararon las primeras balas. La guerra civil, también llamada guerra de Secesión, había comenzado.

Un número creciente de batallas

En la guerra civil se produjeron las mayores batallas en las que habían participado hasta entonces los Estados Unidos. El ejército Confederado, al mando del general Robert E. Lee, se enfrentó repetidamente con el de la Unión, comandado por el general George G. Meade, y la dureza de las batallas fue creciendo cada vez más. La táctica inicial de Lincoln fue limitar al máximo el ámbito de la guerra, pues en un principio consideró que lo que se estaba produciendo no era más que una simple rebelión del sur. No obstante, con el desarrollo de la conflagración, la dureza del enfrentamiento fue aumentando, y miles de vidas humanas empezaron a sacrificarse en la lucha por la libertad de los americanos procedentes de África. Muchos de esos muertos fueron precisamente afroamericanos del norte, animados por la Proclamación de Emancipación promulgada por Lincoln, que declaraba legalmente libres a los esclavos de los estados rebeldes incluso aunque sus amos se negaran a ello.

La batalla de Gettysburg, que tuvo lugar del uno al tres de julio de 1863, fue el punto de inflexión de la guerra civil. Antes de Gettysburg, Lee había logrado muchas victorias en sus batallas contra la Unión. Sin embargo, en esta fue Meade el que logró imponerse, pero el coste fue tremendo... Se produjeron más de cincuenta mil bajas: alrededor de siete mil muertos, unos treinta y tres mil heridos y unos once mil desparecidos. Esa terrible situación hizo que Lincoln decidiera declarar la guerra total al sur, decido a acabar con su cultura esclavista para siempre.

En 1864, Ulysses S. Grant fue nombrado General en Jefe del ejército de la Unión en los campos de batalla de Virginia, en los que la lucha era más encarnizada. Entre Grant, William T. Sherman y otros generales fueron capaces hacer retroceder al ejército Confederado. Grant consiguió acorralar finalmente a Lee y forzarlo a rendirse el 9 de abril de 1865.

El asesinato de Abraham Lincoln

Lincoln solo pudo saborear la victoria durante unos escasos cinco días. El 14 de abril de 1865 el actor John Wilkes Booth, confederado convencido, le disparó en la cabeza por la espalda mientras estaba disfrutando pacíficamente de una velada teatral con su esposa y unos invitados. Booth logró escapar aprovechando la confusión y la oscuridad; se organizó una persecución sin precedentes que terminó doce días después: fue localizado, rodeado y disparado a quemarropa.

Sin embargo, eso no le sirvió de nada a Lincoln, pues la mañana del 15 de abril fue declarado muerto. No obstante, su sueño no murió con él, todo lo contrario. La guerra terminó oficialmente unas semanas después, el 9 de mayo de 1865, cuando los últimos focos de resistencia del ejército Confederado terminaron por capitular. La esclavitud había terminado, pero también la vida de más de seiscientos veinte mil soldados. Hasta hoy, ese número supone casi la mitad del número de soldados americanos muertos en combate en todos los conflictos bélicos de la historia en los que han participado los Estados Unidos. Y lo que es peor, muchos de esos soldados lucharon contra amigos y familiares; no contra enemigos sin nombre, sino contra gente a la que conocían. La grieta social producida por la guerra fue tan desgarradora como violenta.

Al fin se había logrado la libertad, pero el precio fue inmenso. Lo que estaba por delante era la reconstrucción absoluta del país.

Capítulo 12 – Buscando la paz

La tarea que el aguardaba al siguiente presidente americano no era sencilla, ni mucho menos. Tras la muerte de Abraham Lincoln y con una nación hecha pedazos tras la sangrienta guerra civil, alguien tenía que tomar las riendas y reconstruir el país prácticamente desde sus cimientos. Cuatro millones de afroamericanos habían sido liberados de la esclavitud; ahora tenían que integrarse de alguna manera en la sociedad, y la economía y las infraestructuras de los estados sureños debían ser reconstruidas. Esa tarea de titanes recayó sobre Andrew Johnson, vicepresidente con Lincoln. Había escapado por poco de la muerte a manos de otro conspirador al que se le había encargado matar a Johnson al tiempo que Booth asesinaba a Lincoln, pero prefirió emborracharse hasta caer dormido en lugar de realizar el encargo.

No obstante, a Johnson lo abandonó la suerte relativamente pronto. Pese a los logros de su periodo presidencial, entre los que se cuentan la adquisición de Alaska y la Decimotercera Enmienda, por la que en diciembre de 1865 quedaba formalmente abolida la esclavitud en la Constitución americana, la impopularidad de Johnson creció hasta límites insospechados entre los radicales republicanos y muchos de los estados que lucharon con la Unión, sobre todo debido a que permitió que los estados del Sur gobernarse según sus propias normas, siempre y cuando respetaran la abolición de la esclavitud, por supuesto. El Sur respondió aprobando los llamados "códigos negros", que de hecho limitaban el comportamiento y la libertad de los afroamericanos hasta tal punto que muchos republicanos del Congreso no los consideraron mucho mejores que la mismísima esclavitud.

En 1868 fue elegido presidente Ulises S. Grant, el general cuyos esfuerzos tanto contribuyeron a la victoria final de la Unión. Johnson y él se aborrecían hasta tal punto que el presidente saliente se negó a asistir a su proclamación oficial. Sin embargo, para la mayoría de los americanos Grant era un héroe, y la mayoría pensó que no dejaría que el viento se llevara con tanta facilidad la victoria que tanto le costó conseguir a la Unión. El hecho es que se hizo con las riendas y puso mucho más énfasis en la reconstrucción de lo que lo había hecho Johnson.

Oposición a la reconstrucción nacional

En 1870 a los negros se les concedió el derecho de sufragio mediante la Decimoquinta Enmienda constitucional. A partir de ese momento, todos los hombres, sin distinción de raza, podían ejercer el voto. Los afroamericanos también obtuvieron el derecho al sufragio pasivo, pudiendo así ser elegidos para cargos estatales e incluso para el Congreso nacional. Así, todos aquellos que hacía menos de diez años todavía eran esclavos, de repente disfrutaban de los mismos derechos que sus homólogos blancos (aunque también se promulgaron leyes que dificultaban mucho el ejercicio de esos derechos, hasta casi hacer que fueran imposibles de lograr de forma efectiva).

La citada enmienda enfureció a muchos sureños blancos, algunos de los cuales reaccionaron ejerciendo la violencia contra los que trataban de llevar a cabo la Reconstrucción. La supremacía blanca no se olvidó ni mucho menos. Al contrario, se convirtió en una causa por la que muchos blancos del sur se mostraron dispuestos a luchar. Los más radicales y violentos fundaron el movimiento denominado Ku Klux Klan.

Vestidos de forma que su identidad fuera absolutamente imposible de distinguir, pues los que estaban cerca de ellos tan solo podían atisbar el brillo de sus ojos, los miembros del Ku Klux Klan se dedicaron a sembrar el odio entre las minorías que apoyaban su causa y hacer avanzar la causa de la supremacía blanca en los estados del sur. Se formó casi inmediatamente después del final de la guerra de Secesión, y sus miembros cometieron cientos de actos de violencia contra los afroamericanos recién emancipados y sus aliados. Su forma de vestir les concedía un anonimato casi total, lo cual les hacía sentirse casi invencibles, y actuaban de forma acorde, asesinando y destruyendo propiedades sin piedad. Permanecieron muy activos hasta la década de 1870, momento en el que sus acciones empezaron a escasear, aunque a lo largo de los años se producen actos que son reminiscencias de aquellas actividades iniciales. Se aprobaron leyes contra el Klan que contribuyeron a limitar su actividad, pero el daño a los afroamericanos ya estaba hecho, sobre todo en lo que se refería al voto y a la participación en la política.

El interés por la reconstrucción empezó a declinar a mediados de la década de 1870, cuando resultó evidente que el sur volvía a funcionar con los afroamericanos integrados en su nueva posición social, que no implicaba un trato justo. En 1874 los demócratas reconquistaron el poder y tomaron el control de la Cámara de Representantes. La Guerra Civil parecía haber quedado muy atrás, aunque solo habían transcurrido diez años desde su finalización.

El Salvaje Oeste

Ahora que la paz se había vuelto a instalar en la nación, los americanos volvieron a enfocarse hacia el expansionismo. La frontera del oeste aún estaba bastante inexplorada, y fue allí donde comenzó una de las épocas más dramáticas de la historia de los Estados Unidos, la del legendario Salvaje Oeste.

La época del Lejano Oeste se extendió desde la guerra de Secesión hasta más o menos 1895, no más de treinta años que se han convertido en el periodo de América más inmortalizado por la cultura contemporánea. Los nombres de las personas más famosas de esa época llevan consigo una enorme familiaridad: Billy el Niño, Jesse James, Juana Calamidad, Toro Sentado, Annie Oakley, Wild Bill Hickok... El Oeste estaba muy escasamente poblado y carecía de una estructura de mantenimiento de la ley; aunque la mayoría de sus pobladores eran rancheros de ganado completamente pacíficos, sus amplias extensiones eran un lugar ideal para que se escondieran los forajidos, y en los pequeños y escasos pueblos había bancos que robar y cantinas en las que divertirse. Las historias sobre el Viejo Oeste se han contado en miles de libros y centenares de películas, pero la realidad de esta época fue enormemente trágica y en general exenta del romanticismo con el que se ha presentado en el cine y la literatura.

América apenas había salido de la guerra civil cuando emprendió una lucha enormemente sangrienta con los indios de las praderas. Los nativos americanos que habían sido reubicados en el Oeste se vieron rodeados de blancos, cuya ansia por colonizar nuevas tierras aún no se había satisfecho del todo. Para empeorar las cosas, el Oeste estaba poblado también por tribus que llevaban cientos de años viviendo allí. Los indios de las praderas eran de las pocas tribus de nativos que aún vivían en sus tierras ancestrales, y habían sido testigos de que los intentos de negociación pacífica de otras tribus de nativos con los colonos habían dado lugar a su eliminación, su realojamiento en reservas o su expulsión. Por todo ello, estaban decididos a ir a la guerra.

Como colofón, el modo de vida de esas tribus dependía fundamentalmente de las manadas de bisontes que se alimentaban de la hierba de las inacabables praderas. Por desgracia, los bisontes eran un objetivo de lo más valioso y lucrativo para los colonos, que los mataron por miles, diezmando su población, poniendo en peligro la supervivencia de la especie y arrebatando a los nativos su principal fuente de alimento.

Las tribus de indios de las praderas, que incluían entre otros a los Apache, los Sioux y los Cheyenne estaban decididos a no sufrir el mismo destino que sus vecinos de las tierras del sur en una reedición del Sendero de las Lágrimas. Así que lucharon, con unas consecuencias sangrientas.

La matanza de Wounded Knee

El Jefe Alce Moteado sabía que estaba solo.

Caballo Loco había muerto hacía más de trece años. El cadáver de Toro Sentado aún estaba tibio, él también se había ido. Ya solo quedaba él y su grupo de nativos Lakota, a los que conducía hacia la reserva de Pine Ridge. Pese a todo lo que habían peleado las diferentes tribus para evitar ser confinados en reservas, todos sabían que ya no había alternativa. El lugar que tanto habían intentado evitar se había convertido en su único y último refugio.

A Alce Moteado solo le quedaba la esperanza de que la Danza de los Espíritus funcionase. Las creencias religiosas de los nativos eran tan complejas como flexibles. De hecho, habían asimilado la llegada del hombre blanco, a partir de la cual se desarrolló la Danza de los Espíritus, que pensaban que podría librarlos de sus opresores. Si pudieran ejecutarla una y otra vez, sus dioses los vengarían. Se formaría una nueva tierra, a la que nunca podrían llegar los barcos, y en la que los nativos americanos podrían vivir moviéndose con libertad por el continente en el que nació su cultura.

Pero las Danzas de los Espíritus solo sirvieron para enfadar y asustar al ejército de los Estados Unidos. Pensando que se trataba de danzas y cánticos de guerra, las vigilaron de cerca desde que empezaron a celebrarse, y las del pequeño grupo de Alce Moteado no fueron una excepción. El 28 de diciembre los Lakota, que habían acampado junto al arroyo Wounded Knee, se vieron rodeados por el Séptimo de Caballería del ejército de los Estados Unidos. El oficial al mando, el coronel James Forsyth, les dijo que estaban allí para escoltarlos hasta Pine Ridge. Pero las ametralladoras Hotchkiss, capaces de disparar quinientas balas por minuto, rodeaban todo el perímetro del campamento indio, y auguraban algo distinto a lo indicado por el coronel.

El temor de los indios se hizo realidad cuando, al día siguiente, los soldados norteamericanos les ordenaron que entregaran las armas. El campamento vivió momentos de mucha tensión, pues muchos de los Lakota, que no se fiaban de los soldados blancos, sostuvieron con fuerza los rifles y los *tomahawks*. El chamán de la tribu, Pájaro Amarillo, alzó la voz entonando un cántico suave y repetitivo, que indicaba el inicio de la Danza de los Espíritus. Tomó las manos de las dos personas que estaban a su lado y empezó la danza ritual. Todos los demás se apresuraron a imitarle, y antes de que los soldados se dieran cuenta de lo que estaba ocurriendo, un enorme círculo de indios Lakota daba vueltas y vueltas, con una monotonía que les permitía mantener el movimiento durante horas. La Danza de los Espíritus había comenzado.

El miedo por ambos lados enrarecía el ambiente, cada vez más cargado. Algunos soldados lanzaron gritos ordenando parar a los indios. Pese a ello, la danza continuó, implacable y sin pausa, solo interrumpida por pequeñas paradas de alguno de los indios para agarrar un montón de polvo y lanzarlo al aire, lo que hacía que la visión de los soldados pasar a ser turbia y borrosa. En medio de todo, uno de los soldados vio que Coyote Negro, un joven guerrero, agarraba su rifle. El soldado también agarró el rifle, ordenándole a Coyote Negro que lo soltara. El indio no lo hizo, sino que tiró de él y, de repente, en medio de la tensión, el arma se disparó.

El pánico se apoderó de todos. El campamento estalló en un caos de ruido, la Danza de los espíritus se detuvo y tanto los indios como los americanos empezaron a correr en todas direcciones. Hubo gritos, algunos de los americanos dispararon contra Coyote Negro, algunos nativos intentaron pararlos y, finalmente, las ametralladoras Hotchkiss iniciaron su monólogo. El campamento se inundó de balas, a razón de dos mil por minuto. Los gritos y la sangre inundaron el aire. Cuando terminó la locura habían muerto trescientos indios Lakota, de los que sesenta eran mujeres y niños inocentes que quedaron atrapados en el fuego cruzado.

El fin de las guerras

La matanza de Wounded Knee supuso el final de décadas de guerra entre los nativos americanos y los americanos descendientes de europeos. Desde la llegada de los primeros europeos a América del Norte habían muerto cientos de miles de nativos, y su población había descendido de los varios millones del siglo XV a solo unos pocos cientos de miles.

Esta guerra también había costado miles de vidas de americanos descendientes de europeos. La batalla más famosa perdida por el ejército americano fue la de Little Big Horn (1876), en la que un regimiento entero al mando del coronel George Armstrong Custer fue eliminado por un enorme grupo de indios Sioux y Cheyenne liderados por Toro Sentado y Caballo Loco. Ambos grandes líderes indios, junto con algunos más, fueron los últimos en intentar librar a sus tribus del expansionismo de los colonos, pero después de que su propio poblado fuera destruido pocos días después por el ejército americano como respuesta a la infausta derrota de Little Big Horn, Caballo Loco se rindió en 1877. Murió cuatro meses después, traspasado por una bayoneta en la prisión de Fort Robinson.

En 1890 hasta Toro Sentado había renunciado: aunque durante la década de 1880 siguieron produciéndose algunas batallas entre el ejército americano y algunos grupos de indios, el gran jefe nativo no encabezó ninguna rebelión más. De hecho, ni siquiera participó en las Danzas de los Espíritus, aunque la policía de las reservas creyó erróneamente que sí que lo había hecho. En diciembre de 1890 intentaron arrestarlo, le dispararon y lo mataron, lo que dio lugar a que Alce Moteado aceptara ir a la reserva asignada para su pueblo, lo que terminó con la masacre final de Wounded Knee. Desaparecidos los grandes jefes y guerreros indios, los nativos americanos apenas ofrecieron ninguna resistencia más. Las guerras indias habían terminado. El Oeste había sido "conquistado".

Capítulo 13 – Un poder emergente

Cuando finalizó el siglo XIX había cuarenta y cinco estados en la Unión. Thomas Edison había patentado la bombilla, se había formado la sociedad National Geographic, la Constitución americana había celebrado su primer centenario y los americanos ya jugaban al baloncesto. William McKinley había tomado posesión de la presidencia en 1897 y, de forma casi completa, la nación estaba en paz consigo misma. Mientras que los nativos americanos vivían confinados en reservas, los afroamericanos por fin gozaban de libertades, aunque todavía se enfrentaban a un racismo bastante generalizado.

Con los asuntos internos casi completamente controlados, los Estados Unidos empezaron a intervenir en los asuntos internacionales como algo más que una colonia recién emancipada. El país se estaba convirtiendo en una potencia con la que había que contar, y puso de manifiesto la potencia que había acumulado en su primera participación en una guerra internacional tras la de 1812.

La guerra hispano-norteamericana

En 1898, cuando hacía mucho ya que Florida se había convertido en un estado de la Unión, España todavía conservaba varias de sus colonias originales de América. Una de ellas era Cuba, pese a los esfuerzos de emancipación de los propios cubanos. Durísimamente oprimidos por los señores españoles, los cubanos llevaban años librando una guerra desde que Carlos Manuel de Céspedes tañó la campana de su factoría de azúcar y les comunicó a sus esclavos que, a partir de ese momento, eran hombres libres. Esa acción fue el aldabonazo inicial de la guerra de los Diez Años, de 1868 a 1878, una dura lucha que finalizó con la derrota total de los cubanos. Estos intentaron ganar de nuevo su libertad en la corta guerra de 1879, pero fueron aplastados por los españoles con toda facilidad.

Durante algunos años, las cosas permanecieron en calma en la isla, pero la opresión no terminó. Los españoles suponían solo el dos por ciento de la población de Cuba, y sin embargo poseían la casi totalidad de la riqueza de la isla, mientras los cubanos hacían lo que podían por sobrevivir. En 1895 se produjo una nueva rebelión para intentar expulsar a los españoles de Cuba, y así comenzó la guerra de la Independencia cubana. Las escaramuzas fueron muy numerosas a lo largo y ancho del territorio, y el caos finalmente llegó hasta la capital, La Habana. Los ciudadanos americanos que en esas fechas vivían en La Habana temieron por su seguridad, y solicitaron al gobierno americano el envío de una de las joyas de la marina norteamericana, el barco de combate *Maine*, que pronto atracó en el puerto de la Habana y se convirtió en una silenciosa advertencia para todos aquellos que se atrevieran a involucrar a los ciudadanos americanos en los disturbios.

Se suponía que el *Maine* no debía entrar en acción a no ser que los americanos fueran atacados o estuvieran en peligro. Y no lo hizo. Sin embargo, la tarde del quince de febrero de 1898 explotó. Una bola de fuego recorrió la mayor parte de su casco y acabó con la vida de cientos de miembros de la tripulación. Se culpó de la explosión a los españoles, aunque después las pruebas demostraron casi por completo que no tuvieron nada que ver, y que la destrucción y hundimiento del *Maine* fue un trágico accidente. En América se produjo una explosión de rabia, que unida al sufrimiento del pueblo cubano (que, por cierto, parecían cerca de salir victoriosos por sí mismos), al periodismo amarillo sensacionalista y al clamor del pueblo prácticamente obligó al presidente McKinley a declarar la guerra a España. Dicha declaración se realizó el 25 de abril de 1898.

La guerra entre España y los Estados Unidos duró poco. En un momento muy anterior de la historia, América no se habría atrevido siquiera a encender una vela delante de la poderosa Armada Española; sin embargo, los Estados Unidos eran en aquellos momentos un auténtico gigante militar, mientras que España, debilitada por varias décadas de conflictos bélicos en Cuba, no estaba preparada para una guerra contra los Estados Unidos, y en realidad no tuvo ni la más mínima posibilidad desde el primer momento. El uno de mayo los Estados Unidos consiguieron la primera victoria en la bahía de Manila, en Filipinas, un territorio que también quería emanciparse y dejar de ser una colonia española. En junio el ejército americano llegó a Cuba y se desplegó por tierra y mar. Formaba parte de dicho ejército un teniente coronel llamado Theodore Roosevelt, al mando del regimiento de Voluntarios de Caballería, los famosos *Rough Riders* ("los jinetes duros"). El uno de julio tomaron la ciudad de Santiago de Cuba, la segunda más grande de la isla después de la capital; el general español que la defendía intentó escapar por mar junto con todos sus hombres, pero no lo logró, pues la Armada norteamericana capturó o hundió todos los navíos españoles.

Tras la rendición de Santiago de Cuba a mediados de julio, la guerra de Cuba prácticamente había terminado. Los españoles sabían que iban a ser derrotados incluso antes de que la guerra empezara; algunos lucharon con el fervor que da la desesperación, pero la mayor parte de ellos se rindieron desmoralizados incluso antes de entrar en un combate que veían perdido. De hecho, el noventa por ciento de las bajas norteamericanas no se debieron a la resistencia española, sino a las enfermedades infecciosas propias del clima tropical de la isla de Cuba.

El Tratado de París acabó con varias de las últimas colonias españolas. Cuba obtuvo la independencia; Puerto Rico y Guam pasaron a manos de los Estados Unidos, que se consolidaron como un auténtico gigante militar perfectamente capaz de encarar con éxito enfrentamientos militares con países europeos. Esa nueva reputación pronto se enfrentaría a un duro examen. En las dos décadas siguientes, le guerra estallaría a una escala muy superior a todo lo que se había producido hasta el momento.

Yanquis al otro lado del océano

Los chicos estaban asustados, y Ulises Grant McAlexander lo sabía. Al ver la fila de rostros blanquecinos de los soldados, el coronel no pudo evitar sentir que su corazón estaba con ellos. Al igual que él, nunca habían estado en un conflicto excesivamente alejado del territorio de los Estados Unidos. Su país acababa de entrar en la Gran Guerra, e iba a ser la primera vez que las tropas americanas lucharan en suelo extranjero tras la guerra contra España que se había desarrollado veinte años atrás en suelo cubano, y que en realidad fue pan comido.

Ahora hasta el propio McAlexander se empezaba a preguntar si estaban preparados para lo que se iban a encontrar. Podían escuchar el rugido de los cañones y los gritos de la multitud de soldados alemanes que se apelotonaban en los alrededores del Marne, y sabía que la cercanía de aquel estruendo significaba que habían arrollado al Sexto Ejército francés. En realidad, era lo esperado, pues Alemania había ido ganando terreno en su reciente ofensiva en suelo francés, pese a los grandes esfuerzos de los aliados para cortarles el paso.

McAlexander, en la trinchera, sintió temblar la tierra bajo sus pies. El ruido ensordecedor de los proyectiles lo envolvía, y las explosiones venían acompañadas de tierra y sangre que saltaba por los aires... además de restos humanos en algún caso. Ya podía ver a los alemanes acercarse. Habían pasado por encima de las líneas francesas, y a derecha e izquierda pudo observar que las divisiones vecinas retrocedían. Asentado en las orillas del río, su Regimiento de Infantería número 38, perteneciente a la División 3, tenía que entrar en combate.

Hubo una descarga de fuego sobre sus trincheras e, inmediatamente, McAlexander ordenó a sus hombres que se asomaran desde sus posiciones protegidas devolvieran el fuego a discreción. Así los hicieron, y además del ruido de las balas, también escuchó el sonido de algunos rifles que quedaban destrozados o estallaban. En medio de la locura, McAlexander pudo ver que las líneas cercanas a sus trincheras estaban a punto de ser desbordadas. Los alemanes iban a romperlas, continuando así su victoriosa ofensiva sobre Francia.

Entre el humo y el polvo de la batalla, McAlexander se quedó mirando a sus hombres. Todos los miraban a él, al tiempo que escuchaban a su alrededor los gritos casi histéricos y llenos de pánico de otros oficiales, ordenando la retirada. Él, el coronel McAlexander, era el único que todavía no había dado la orden de huir.

Algo en su interior le impidió rendirse. Respiró hondo.

—*Nous resterons la!* ¡Nos quedaremos aquí! —gritó con todas sus fuerzas.

Encorajinados por la potente, clara y cristalina voz del coronel, sus hombres se dieron la vuelta y devolvieron el fuego contra los alemanes que amenazaban con pasar por encima de ellos. Cuando los flancos de su formación quedaron expuestos tras la retirada a izquierda y derecha de sus aliados, McAlexander dio la orden a su división de formar una U para proteger las zonas vulnerables. Pese a los esfuerzos de los alemanes, el Regimiento de Infantería número 38 se mantuvo en sus posiciones a la orilla del Marne, y lograron que el enemigo retrocediera cuando, por fin, llegaron refuerzos desde la retaguardia. La segunda batalla del Marne fue clave a la hora de detener la ofensiva alemana, permitió una contraofensiva aliada que terminó decantando la contienda del lado del bando aliado, y finalmente dándole la victoria en la Gran Guerra. Los héroes de la batalla del 15 de julio de 1918 fueron los oficiales y soldados de la Tercera División americana de Infantería. Tras la batalla se les apodó como "La Roca del Marne", y demostraron al resto del mundo que los Estados Unidos podían ser tan fiables como el resto de las naciones con más tradición y antigüedad en lo que se refería a cuestiones militares.

La intervención americana en la Primera Guerra Mundial

El presidente americano Woodrow Wilson nunca tuvo interés en involucrarse en la guerra que estaba rompiendo en pedazos Europa y Asia.

Tras su estallido, el 28 de junio de 1914, Wilson se apresuró a declarar la neutralidad de los Estados Unidos en el conflicto. Pese a que la guerra contra España había terminado con una victoria apabullante, se daba perfecta cuenta de que un conflicto mundial era algo completamente diferente. Se podía decir que América estaba en la infancia si se la comparaba con las naciones antiguas y consolidadas que se estaban enfrentando en la Gran Guerra: Gran Bretaña, Rusia, Francia y Alemania, que llevaban guerreando unas contra otras desde mucho antes de que existieran los Estados Unidos. En cualquier caso, la lucha estaba localizada fundamentalmente en Europa y Asia. Que se desarrollara a su aire.

Pero la esperanza del presidente Wilson respecto a que la neutralidad mantendría al país a salvo era infundada. El 7 de mayo de 1915, un barco de pasajeros británico fue torpedeado por uno de los mortíferos submarinos alemanes. El *Lusitania* fue alcanzado en el casco por uno de los torpedos, se hundió y murieron más de mil personas, de las cuales ciento veintiocho era ciudadanos americanos. Lo cual, unido a la explosión que se produjo en la isla de Black Tom, en Nueva Jersey, organizada por agentes secretos alemanes, y a un telegrama amenazador interceptado por los británicos en 1917, ordenando a México la invasión del territorio de los EE. UU., acabó con la paciencia de Wilson. Los Estados Unidos declararon la guerra el seis de abril de 1917.

Comandados por el general John J. Pershing, apodado *Black Jack* ("Jack el Negro"), los militares americanos no tardaron en entrar en combate. Entre ellos estaba el mayor George S. Patton, que con el tiempo se iba a convertir en uno de los generales más famosos de la Segunda Guerra Mundial, y también en el más controvertido. Mientras que inmediatamente antes de la Primera Guerra Mundial ejército americano era menor en número que las bajas sufridas por los franceses solo en la batalla de Verdún, al final de la misma unos dos millones de soldados de los Estados Unidos habían luchado en las filas aliadas. De hecho, formaron parte de la ofensiva final que finalmente dio lugar a la capitulación enemiga del once de noviembre de 1918.

Los Estados Unidos habían demostrado ser un enemigo formidable en cualquier guerra. Su importancia como potencia militar era incuestionable, y el orgullo y la identidad nacional crecieron como la espuma entre la población, gracias a los continuos éxitos frente al enemigo, fuera el que fuera. No obstante, solo se trató de una especie de bautismo de fuego. Los Estados Unidos tendrían que enfrentarse a pruebas tremendas en los conflictos internacionales del siglo que casi acababa de empezar.

Capítulo 14 – El progreso

Con la tenue y débil paz que se estableció en todo el mundo, América se dio cuenta de que se había convertido en una nación muy diferente.

Más de la cuarta parte de la población masculina joven había sido llamada a filas durante la Primera Guerra Mundial. De todos ellos, unos cien mil no volvieron, y los que regresaron a sus casas y con sus familias al terminar la guerra no eran las mismas personas que cuando se fueron, alentados y entusiasmados por la propaganda que invitaba al reclutamiento y deseando entrar en combate. Ahora estaban rotos, mucho físicamente y prácticamente todos mentalmente. El TEPT (trastorno de estrés postraumático) todavía no tenía ese nombre; sus trastornos se denominaban a veces "psicosis de guerra", o ni siquiera se les daba nombre alguno. A veces procuraban tirar hacia delante como si la muerte y la devastación de la guerra no les hubiera afectado, aunque a muchos los condujo a la bebida o a involucrarse en actividades igualmente contraproducentes, en un intento de superar lo que la medicina aún no había reconocido como lo que era, una enfermedad mental. Puede que, en parte, el creciente alcoholismo entre la población contribuyera a que el Congreso aprobara la decimo octava Enmienda, con la que se prohibía el consumo de alcohol que estaba causando grandes problemas sociales por todo el país. Sin embargo, la prohibición resultó ser un problema todavía mayor que el que pretendía solucionar. No obstante, se mantuvo hasta 1933.

Por otra parte, con más de dos millones de hombres fuera del país, las mujeres estadounidenses tuvieron que asumir actividades que la sociedad, hasta esos momentos, no consideraba adecuados para ellas. Esa nueva independencia les aportó una sensación de poder que supuso el último empujón para su acceso al derecho de sufragio. Y cuando el presidente Woodrow Wilson fue declarado incapacitado de manera repentina e inesperada, la Primera Dama, de forma secreta, hizo lo que las mujeres americanas ya venían haciendo desde que sus hombres marcharon a la guerra: asumir su papel.

El sufragio de las mujeres y su líder secreta

El uno de octubre de 1919 fue el último en el que el presidente Wilson pudo mantener el control de su propio cuerpo. La mañana del dos de octubre sufrió un ataque que le dejó paralizado más de medio cuerpo. Confinado en la cama y bajo la atención constante de su médico personal, el doctor Cary T. Grayson, que desde hacía tiempo le venía advirtiendo de que el exceso de trabajo podría producirle en cualquier momento algún tipo de problema de salud, y también de su esposa, la Primera Dama Edith Wilson.

Edith se enfrentó a una enorme responsabilidad. El presidente Wilson podía hablar y también pensar con notable claridad, pero lo que no podía era mantener el frenético ritmo de trabajo que había caracterizado hasta entonces a su acción gubernamental, por otra parte, muy criticada. Pese a que las decisiones de Wilson habían sido muy impopulares en una nación que casi pedía a gritos la guerra contra Alemania, se le concedió el Premio Nobel en 1919 por sus esfuerzos para crear una Liga de Naciones y la negociación del Tratado de Versalles, unos esfuerzos que sin duda contribuyeron a que sufriera ese ataque que estuvo a punto de acabar con su vida. Ahora, y pese a que no gozaba de las simpatías de su pueblo, resultaba imprescindible que completara los dos años de mandato que le quedaban para ayudar a dirigir un mundo recién salido de la guerra. La decisión de Edith fue tajante: Woodrow seguiría siendo presidente. Y ella lo ayudaría.

Durante el resto del mandato del presidente Wilson, Edith gestionó secretamente la mayoría de los asuntos del país. Pese a que se describía a sí misma como una simple "ayudante administrativa" que sometía todas las decisiones al criterio de su marido, y aunque el propio Woodrow sí que tomaba todavía bastantes decisiones, Edith resultó clave para la gestión del país hasta el final del mandato, y Wilson por fin pudo descansar de verdad en 1921.

Las mujeres llevaban más o menos un siglo haciendo campaña por la igualdad de derechos, como por ejemplo el acceso a la propiedad privada y el voto, aunque esos solo eran dos ejemplos de los muchos que se les negaban. No obstante, el trabajo llevado a cabo durante décadas por heroínas como Carrie Chapman Catt, Lucy Stone, Helen Blackburn, Susan B. Anthony y Elizabeth Cody Stanton había logrado que se les concediera el voto en muchos estados de la Unión.

Y lo cierto es que se habían logrado progresos. Durante el desarrollo de la Primera Guerra Mundial el propio presidente Wilson había dicho que conceder el voto a las mujeres resultaba "vital y esencial para el buen término de la gran guerra a favor de la raza humana en la que estamos embarcados".

Finalmente, la Decimonovena Enmienda se ratificó el 18 de agosto de 1920, y en ella se permitía a todas las mujeres americanas participar en el gobierno de su país. Irónicamente, prácticamente nadie en todo el país sabía que, en ese momento era una mujer la que lo dirigía. Edith Wilson jamás fue considerada una heroína, pero como muchos otros millones de mujeres que habían mantenido en funcionamiento negocios, hogares, familias, granjas y tiendas mientras sus hombres se enfrentaban al horror de la Gran Guerra, fue decisiva para mantener en pie la nación después de la mayor guerra que había conocido el mundo.

Los felices años Veinte

El sufragio femenino marcó el inicio de una década de crecimiento y progreso en prácticamente todos los aspectos. Surgieron mitos deportivos como el jugador de béisbol Babe Ruth; la música americana vivió su propia revolución y alcanzó un estatus propio e individualizado, con leyendas como Louis Armstrong y Bing Crosby; y en la industria surgieron gigantes como Henry Ford, cuya aparición empujó con fuerza el desarrollo de la economía americana. No obstante, pese a que los felices, o para otros "locos", años veinte fueron testigos de muchos éxitos, estos pronto llegarían a su fin. Incluso la Gran Guerra quedó eclipsada por un periodo negro con el que jamás se habría podido ni soñar. Se acercaba la Gran Depresión y, pisándole los talones, la Segunda Guerra Mundial.

Capítulo 15 – El desastre golpea

Ilustración V: Un "sin techo", en los momentos más duros de la Gran Depresión, se apoya sobre la pared de una tienda abandonada

Hulda Borowski apenas podía mantenerse en pie. Se balanceaba, tenía la mente borrosa e intentaba recordar en que piso estaba la oficina de Wall Street en la que trabajaba como empleada administrativa. El ascensor iba subiendo los pisos de la agencia de corredores de bolsa, y Hulda miraba los botones de los distintos pisos intentando buscarles un sentido. Estaba agotada. Habían pasado casi dos semanas desde que el crac de Wall Street había hecho caer en barrena la economía y sembrado el pánico en la nación y en el mundo entero. Pero Hulda no tuvo ni siquiera la oportunidad de preocuparse. Desde el martes negro, los contadores automáticos conectados a los teletipos no habían sido capaces siquiera de absorber y anotar la enorme cantidad de acciones que se estaban vendiendo, dada la supersónica velocidad y la enorme cantidad de ventas. Por eso, los administrativos no paraban de hacer horas extras. Mucho más que horas extras. Hulda se frotó los ojos, intentó recordar hacía cuánto que no dormía. ¡Ah, sí! En la sala de los cables. Su jefe la encontró allí, y le dijo que se fuera a casa. Se había quedado dormida sin darse cuenta. ¿Ya era por la mañana? Hulda no estaba segura, pero lo que sí sabía era que estaba absolutamente exhausta. Tenía cincuenta y un años... demasiado mayor para esta locura. Para vivir el hecho de que la economía estaba a punto de desintegrarse literalmente, para la pobreza que se acercaba, o al menos eso era lo que decían los banqueros. La pobreza se cernía sobre cientos de miles de americanos como ella.

Era demasiado para ella. Hulda tenía que hacer algo. Y alrededor de las diez de esa misma mañana, lo hizo.

Saltó desde el último piso del edificio de cuarenta plantas y murió por el impacto.

El crac de 1929

La gran prosperidad de los felices años veinte había conducido a los Estados Unidos a una sensación de seguridad cercana al embotamiento. El desmesurado crecimiento del mercado de valores y el consumismo trajo consigo una época de gasto descontrolado, y fue como si toda la nación se hubiera quedado ciega, sin saber siquiera vislumbrar que, de forma inevitable, esos excesos terminarían conduciendo a un desastre inevitable. De hecho, la mayor parte del mundo no tenía ni la menor idea de lo que se avecinaba. Solo un pequeño grupo de economistas austriacos y británicos de atrevieron a hacer sonar la campanilla de la alarma, pero nadie les hizo el menor caso. La economía americana nunca había ido mejor. Nada podía fallar, en la baraja ni existía una carta perdedora.

Y, sin embargo, todo falló inevitablemente. En los Estados Unidos había demasiado crédito, un crédito amasado por el exceso de gasto, la nueva cultura consumista y muchos millones de dólares en acciones comprados a crédito. El optimismo de los americanos respecto al futuro estaba haciendo que la deuda creciera más y más. La economía ya no podía soportar esa situación, y por eso las acciones empezaron a caer. En un principio bajaron, aunque poco después volvieron a subir; septiembre fue un mes volátil en los mercados. Los agentes de bolsa no les dieron importancia a las fluctuaciones: todo el mundo sabía que los mercados tienen subidas y bajadas. Pero cuando llegó el Jueves Negro, el veinticuatro de octubre de 1929, ya nadie pudo negar el hecho de que se iba a producir el desastre absoluto.

Y se produjo. Pese a los esfuerzos de las compañías de inversión, al Jueves Negro le siguió el Lunes Negro, en el que el mercado se desplomó. Y el Martes negro, veintinueve de octubre, ya todo fue un puro caos. Se vendieron alrededor de dieciséis millones de acciones: los inversores prácticamente saltaban unos sobre otros, presas del pánico, intentando colocar a toda costa sus acciones antes de que se convirtieran en un pasivo fijo. Cientos de millones de dólares desaparecieron literalmente del mapa. La economía se había hundido bajo su propio peso, y aunque la "ola de suicidios" que supuestamente siguió al crac de Wall Street fue más que nada un mito alimentado por los periódicos sensacionalistas (el índice apenas subió), lo cierto es que había muchos motivos para el pesimismo más extremo. No es que el mercado de valores se tambaleara por el golpe. Lo que pasó es que se hundió completamente. Algunos historiadores calculan que, en un solo día, los Estados Unidos perdieron más dinero que todo lo gastado en su participación en la Primera Guerra Mundial.

El crac de la Bolsa de Nueva York fue un desastre sin precedentes del mundo financiero, pero le seguiría otro aún mayor. Debida en parte al crac, la Gran Depresión hundió a los Estados Unidos, y los sumió en unas condiciones sociales todavía peores que las que se habían producido durante la agonía de la Gran Guerra.

La Gran Depresión

El presidente Hoover tuvo que hacer frente a una crisis de enormes proporciones. Había tomado posesión en marzo de 1929, situándose al frente de un país que había doblado prácticamente su riqueza en una década. Preveía un mandato de paz, riqueza e incluso lujo, al igual que les pasaba a sus ciudadanos, que ya lo estaban experimentando. El crac de Wall Street, que tuvo lugar solo unos meses después de su toma de posesión, fue un golpe duro y terrible. Pude que negándose a aceptar lo que se le venía encima, Hoover les dijo a algunos allegados que confiaba en que la crisis pasara pronto.

Pero no fue así. Dos años después del crac, América iba entrando cada vez más en un colapso económico que, años más tarde recibió el nombre de la Gran Depresión. Seis millones de americanos habían perdido su empleo. En 1932 ese número había crecido hasta los quince millones. Hoover realizó algunos intentos poco entusiastas de relanzar la economía concediendo créditos gubernamentales a los bancos, muchos de los cuales estaban en plena quiebra, pues sus clientes demandaban que se les abonara su dinero en efectivo e inmediatamente. Pero esas acciones apenas surtieron efecto.

La presidencia de Hoover finalizó, y en 1933 Franklin D. Roosevelt se convirtió en presidente de los Estados Unidos. Su toma de posesión fue mucho más sobria que la de Hoover. Roosevelt sabía que su país se estaba enfrentando a una crisis que tenía a ciento veinticinco millones de americanos pendientes de él y pidiéndole ayuda. Las cosas no podían ir peor. Incluso el Departamento del tesoro de los Estados Unidos era incapaz de pagar a sus propios empleados. Se había dado la orden de cerrar los bancos en todo el país, pues ni las propias entidades ni sus clientes podían permitirse más crisis bancarias motivadas por el pánico.

No obstante, FDR parecía sereno. Su sosegada forma de comportarse aportó la calma que necesitaban los americanos, aportando un ancla a la que agarrarse en medio de la terrible tormenta.

—A lo único que tenemos que tenerle miedo es al propio miedo — dijo.

Ese toque personal, que ha pasado a la historia, tuvo un efecto balsámico inmediato sobre una población presa del pánico. Sus discursos por radio a la población, como charlas directas al calor de la chimenea, hicieron que la gente se sintiera algo más tranquila, y aportó la esperanza de que alguien se preocupaba por ellos y estaba intentando ayudarles por todos los medios a su alcance.

Muchos americanos no tenían más que ese hilo de esperanza. La Depresión vino acompañada de unas terribles sequías que, unidas a varias décadas de exceso de cultivo, dieron lugar a unas tremendas tormentas de polvo que asolaron de tal forma los estados del oeste que se los empezó a llamar los "cuencos de polvo". Esas tormentas obligaron a buscar cobijo en otros estados a más de la mitad de la población, dejando miles de granjas abandonadas. La producción de alimentos descendió drásticamente, y la enorme subida del precio de los alimentos combinada con el desempleo condujo a una malnutrición generalizada, en incluso a muchas muertes debidas al hambre. El poderoso gigante que había ayudado a derrotar a Alemania en la Primera Guerra Mundial ahora estaba demacrado y casi destruido a causa de sus propios excesos.

No obstante, en el pueblo americano se estaba abriendo paso un nuevo espíritu, menos exuberante que el caótico y desordenado que se había impuesto en los felices veinte. Ahora, con muy poco de lo que disponer, los americanos estaban aprendiendo a ser más cautos, y a ayudarse entre sí. Historias contadas de primera mano acerca de la Gran Depresión revelan situaciones de amabilidad y altruismo en mitad de un tremendo estado de necesidad.

FDR parecía compartir ese mismo espíritu. Puso en marcha lo que llamó el *New Deal* ("Nuevo acuerdo"), por el que se pusieron en marcha una serie de esfuerzos para estabilizar la destrozada economía y recuperar la paz y la prosperidad bajo la bandera de las barras y las estrellas. Entre los programas que puso en marcha destacaron la Ley de Seguridad Social, que garantizaba ayudas gubernamentales a los más necesitados, como los niños, los desempleados y los mayores, y la Administración de las Obras para el Progreso. Esa oficina gubernamental proporcionó empleo a más de ocho millones de ciudadanos, que colaboraban en trabajos relacionados con el medio ambiente, como la reforestación y el repoblamiento de peces en los ríos y lagos.

Pese a que en 1937 se produjo otra fuerte recesión, el *New Deal* logró proporcionar cierto progreso y sacó a la economía del abismo de la Gran Depresión. No obstante, ese desastre económico no terminaría hasta el nacimiento de una nueva industria que, una vez más, insufló vida a la economía americana. No obstante, dicha industria no contribuyó a arreglar los problemas, sino que cambió una tragedia por otra.

Se trataba de la industria de la guerra. La Segunda Guerra Mundial acababa de empezar.

Capítulo 16 – La bomba más potente del mundo

Las primeras bombas cayeron cinco minutos antes de las ocho. Casi dos toneladas de explosivos mortales impactaron sobre el puente del acorazado *Arizona*, destrozándolo por completo y acabando con la vida de todos sus tripulantes. El sonido de las explosiones resonó por todo Pearl Harbor y rompió bruscamente la habitual tranquilidad de las aguas de la bahía hawaiana. Hubo un momento de silencio hasta que una de las bombas alcanzó el depósito de municiones del navío. Después se produjo la tremenda explosión, y surgió una enorme bola de fuego, que se reflejó en las aguas del puerto y en los brillantes cascos metálicos del resto de las embarcaciones de la Flota americana del Pacífico. El bombardeo produjo más de mil víctimas, y eso fue solo el principio.

El cielo se pobló de aviones japoneses. Era el 7 de diciembre de 1941. Japón había lanzado por sorpresa un ataque devastador que arrasaría Pearl Harbor y destrozaría el corazón de millones de americanos. Pese a su resistencia a involucrarse en la Segunda Guerra Mundial, tras el mortal ataque no tuvo más alternativa que hacerlo. Lo ocurrido quedó grabado para siempre en la conciencia colectiva del pueblo americano.

La participación de los EE. UU. en la Segunda Guerra Mundial

La Segunda Guerra Mundial, un conflicto bélico cuya enorme escala de destrucción eclipsó la hasta entonces inaudita violencia vivida en la Primera Gran Guerra, comenzó en 1939 con la invasión de Polonia por parte de la Alemania nazi. Pero los Estados Unidos no entraron en el conflicto hasta 19141, después del ataque a Pearl Harbor.

El presidente Franklin D. Roosevelt no tenía tantas dudas acerca de la involucración de su país en el conflicto, pero inicialmente también actuó con cautela. Aunque tenía claro que unirse a la guerra, por supuesto del lado aliado, era inevitable, su administración procuró aguantar sin declarar la guerra el mayor tiempo posible. Tampoco cometió los errores de Wilson, y su gobierno no vendió armamento a las naciones en conflicto no se permitió a los americanos viajar a ellas, para evitar que se produjera otro desastre como el del *Lusitania*.

En cualquier caso, el Eje, que incluía a Alemania, Italia y Japón, naciones bajo regímenes fascistas en aquellos momentos, y con pretensiones imperialistas, estaba decidido a arrastrar a los Estados Unidos a la guerra. Viendo que llegaría un momento en el que la entrada directa en el conflicto, FDR decretó el fin del embargo de material de guerra ya a finales de 1939; en 194º, los Estados Unidos estaba proveyendo a Gran Bretaña de grandes cantidades de material de guerra para alimentar su esfuerzo bélico.

Para el Eje no era ningún secreto que los Estados Unidos, pese a su neutralidad oficial, estaba del lado de los Aliados. El bombardeo de Pearl Harbor respondió al deseo de Japón de golpear primero, y funcionó. Fue un ataque devastador, que causó dos mil cuatrocientas tres víctimas mortales. Pero, lejos de amedrentar a los Estados Unidos, lo que hizo fue desatar en el país un deseo frenético de venganza contra aquellos que habían acabado con la vida de miles de personas indefensas. El mismísimo día siguiente se produjo el alistamiento de cientos de miles de voluntarios. Junto con todos los llamados al servicio que vivían fuera del país, Estados Unidos formó un ejército que contribuyó enormemente al esfuerzo aliado. El país se situó inequívocamente del lado de los Aliados, uniéndose a Gran

Bretaña, Francia, Australia, la Unión Soviética, China, Canadá y Sudáfrica, entre otros países.

Durante los cuatro años siguientes, más de dieciséis millones de soldados estadounidenses lucharon en la Segunda Guerra Mundial. Los esfuerzos realizados dentro del país contribuyeron también enormemente a la victoria aliada; el racionamiento interno permitió alimentar millones de bocas hambrientas fuera del territorio americano, y un gran número de mujeres trabajaron febrilmente para producir lo que hacía falta, tanto en el interior del país como en el ejército movilizado.

Héroes de guerra americanos aportaron espíritu de victoria en Europa, Asia y África. Uno de los más famosos fue el general George S. Patton, que contribuyó decisivamente a la victoria en la batalla de las Ardenas, pese a que se ganó una fuerte impopularidad entre sus compañeros y superiores. También merecen destacarse otros, como el teniente segundo Audie L. Murphy, responsable directo de doscientas cuarenta bajas alemanas y que fue el soldado americano más condecorado de toda la guerra; el general Dwight D. Eisenhower, comandante en jefe de las fuerzas aliadas y futuro presidente de los Estados Unidos; y quizá el más extraño de todos, el cabo Desmond Doss, un héroe de guerra que lo fue sin disparar un solo tiro. Era un médico de guerra objetor de conciencia cuya fe le impedía ejercer ningún tipo de violencia, pero que salvó la vida de cientos, si no miles, de soldados, tanto americanos como japoneses, incluso en pleno fuego cruzado.

Pero todo esto no resultó suficiente. En mayo de 1945, mientras que en Europa la victoria total de los Aliados trajo consigo el final de las acciones bélicas, la zona del pacífico seguía siendo escenario del caos, la muerte y la destrucción. Japón no se rindió. Acosados sin descanso por las fuerzas americanas, los japoneses se mantenían firmes y ponían todos sus recursos al servicio de la lucha. La lucha en el Pacífico costó más de cien mil vidas americanas. En julio de 1945 el presidente Harry Truman decidió marcar una línea de no retorno, cosa que hizo en la Declaración de Potsdam, en la que ordenó a nítidamente a Japón que procediera a rendirse si no quería enfrentarse a "la destrucción absoluta".

No era una amenaza vana. Truman disponía de un as en la manga, algo nunca visto hasta entonces, un mal horrible que pondría fin a la guerra más horriblemente mala de la historia. Algo destructivo hasta tal punto que cambiaría para siempre el concepto de los conflictos armados futuros, e incluso el mundo. Y lo llamó *Little Boy* ("Niño Pequeño").

La detonación de las bombas atómicas

La primera bomba atómica de la historia fue detonada en Nuevo México, el 16 de julio de 1945, y no mató a nadie.

Bajo el nombre codificado de "el Artefacto" (*the Gadget*), la bomba fue diseñada y construida por un equipo de científicos y militares en el marco del denominado Proyecto Manhattan. FDR autorizó la formación del equipo en 1942, tras recibir rumores e informes de espías acerca de que los alemanes estaban trabajando en la creación de armamento nuclear. Tres años después, J. Robert Oppenheimer logró fabricar la primera bomba atómica del mundo. La detonación de prueba fue un éxito; se formó un enorme cúmulo de humo en forma de hongo que pudo verse a cien kilómetros de distancia, y el cráter que dejó tenía más de un metro y medio de profundidad y unos diez metros de anchura.

Tras la negativa de Japón a rendirse, Truman tenía que tomar la decisión. Era el momento de terminar definitivamente con la Segunda Guerra Mundial. La detonación de la bomba atómica produciría cientos de miles de muertos, se llevaría por delante una ciudad entera matando una ingente multitud de personas inocentes. Y, no obstante, en comparación con las atrocidades que tuvieron lugar en la Segunda Guerra Mundial, parecía ser un precio a pagar asumible, e incluso no muy grande. El coste en vidas humanas de la guerra se ha estimado en ochenta y cinco millones. Diezmar unas pocas ciudades parecía la única salida si se querían evitar más millones de muertes.

Y así, el seis de agosto de 1945, esa única salida aparentemente viable se puso en marcha. El *Enola Gay*, un bombardero B-29 de la Fuerza Aérea estadounidense, sobrevoló Hiroshima a gran altura. ¿Volvería la cabeza el piloto en la carlinga para observar la atestada ciudad? ¿Sabía que vivían allí más de trescientas mil personas? Allí estaban, cocinando, limpiando, jugando con los niños, trabajando, peleándose. Allí había militares que habían cometido atrocidades innombrables contra compatriotas americanos. Pero también tenderos, contables, médicos, policías, sanitarios, escolares, amas de casa...

Lo que sí escuchó fue el leve chirrido de *Little Boy* deslizándose desde la panza del *Enola Gay*, pero no el silbido emitido por su caída en dirección a la ciudad.

No hay palabras para describir la amplitud del horror producido por la explosión de la bomba atómica. Pero la frialdad de los números quizá nos pueda servir para hacernos una idea. 4.400: el peso de la bomba en kilos. 15.000: el equivalente a su fuerza explosiva medida en toneladas de TNT, y desarrollada por el uranio enriquecido. 8: el número de kilómetros cuadrados destrozados por la explosión. 80.000: el número de personas que murió instantáneamente al producirse la explosión, lo que equivale más o menos al doble de la población total del Principado de Mónaco. 300.000: el número estimado de muertos causado por la bomba. 60: el porcentaje de la población de Hiroshima que murió debido tanto a la explosión como a la devastadora radiactividad que la siguió.

El 9 de agosto se lanzó una segunda bomba nuclear. El nombre que se le puso fue *Fat Man* ("hombre gordo"). Su combustible era el plutonio y causó la muerte de unas ochenta mil personas en la ciudad japonesa de Nagasaki. El número de muertes fue inconmensurable; el paisaje quedó arrasado. Las ciudades, devastadas. Y, por fin, Japón cayó de rodillas. Se rindió cinco días después del estallido de *Fat Man*. La Segunda Guerra Mundial terminó oficialmente el dos de septiembre de 1945.

El uso de la bomba atómica sigue siendo una de las cuestiones más controvertidas de la historia de la humanidad. Por muy eficaz que fuera a la hora de terminar con la guerra, el número de vidas inocentes que se llevó por delante en Hiroshima y Nagasaki se consideró, y sigue considerándose, una atrocidad injustificable. Sea como fuere, la detonación de armas nucleares condujo a una nueva era de conflictos armados. No se trataría simplemente del enfrentamiento en el campo de batalla entre dos naciones enemigas: la destrucción que podía darse ya no era inimaginable, tenía cifras. Y, en las décadas siguientes, dos superpotencias internacionales chocarían entre sí, aunque ambas fueron incapaces de asumir el riesgo de una guerra entre ambas. Y es que, disponiendo ambos de un enorme arsenal de armas nucleares, el peligro no era la guerra en sí, sino el apocalipsis.

Capítulo 17 – Tensión glacial

Las calles de Dallas, Texas, estaban atestadas por una multitud alegre y ruidosa que saludaba, agitaba banderas y vitoreaba al paso del Lincoln negro descapotable que las recorría. Sentados en la limusina descubierta, el presidente John F. Kennedy saludaba a la multitud con una sonrisa resplandeciente. Junto a él, su bella esposa Jacqueline sonreía más recatadamente; no solía acudir muy a menudo a sus actos políticos, pero ese día había decidido acompañar a su marido en su paseo multitudinario. Serían los últimos momentos que pasarían juntos en su vida.

Era el 22 de noviembre de 1963. Aún no habían pasado quince años desde el final de la Segunda Guerra Mundial, y pese a que la industria, sobre todo la armamentística, había revitalizado la economía de los Estados Unidos, los americanos vivían tiempos de tensión. La guerra con la Unión Soviética parecía inminente desde hacía años. Todo el mundo sabía que una declaración de guerra significaría la aniquilación de millones de personas, teniendo en cuanta que tanto los soviéticos como los norteamericanos poseían armas nucleares en abundancia. Decenas de millares de soldados americanos habían perdido la vida en Corea y Vietnam, dos guerras que en realidad enfrentaban a ambas superpotencias, aunque por delegación en países débiles. Muchas familias americanas tenían hijos, hermanos, maridos o padres luchando en el extranjero, pese a que la última conflagración mundial hacía poco que había terminado. Los cines programaban muchas películas en las que se representaban las consecuencias imaginarias del uso de armas nucleares, la destrucción sin sentido y la aparición de personajes malvados de aspecto horripilante. La Crisis de los Misiles en Cuba, que se produjo en 1962, todavía estaba muy fresca en el recuerdo de la gente. Pero Kennedy era su favorito, el hombre que, fuera como fuera, había sido capaz de negociar y evitar el desastre y la destrucción nuclear. Y ahora lo vitoreaban y lo aplaudían a rabiar mientras recorría las calles.

Pero no todo el mundo se había unido a la celebración. En el sexto piso del Almacén de Libros Escolares un americano irritado esperaba, tirado boca abajo en el suelo. Lee Harvey Oswald sostenía un rifle Carcano M91/38 de un solo disparo y con mira telescópica. El sol de la mañana le obligaba a entornar los ojos para apuntar, y algunas gotas de sudor perlaban su frente. Era un joven atormentado de solo veinticuatro años, con una forma de pensar oscura y turbulenta. Había nacido el día en el que comenzó la Segunda Guerra Mundial, y pasó una infancia llena de privaciones y abusos que, con toda probabilidad, le habían provocado graves trastornos mentales. Pese a ello, logró entrar en el cuerpo de Marines de los EE. UU., aunque su inestabilidad hizo que tuviera que enfrentarse a diversos consejos de guerra, hasta que finalmente dejó el ejército en 1959.

Oswald nunca sintió que había gozado de la libertad que le había prometido los Estados Unidos y el capitalismo. Así que buscó otro sistema político y encontró el de la Unión Soviética. Emigró directamente allí tras ser expulsado del ejército y renunciar a la ciudadanía norteamericana. De hecho, trabajó en Rusia y hasta se casó antes de volver a los Estados Unidos en 1962.

En ese momento, agradecía silenciosamente lo único que había obtenido tras su paso por el cuerpo de Marines: su entrenamiento como francotirador de élite. Centró la vista en la mira telescópica y apuntó a la atractiva cara del presidente John F. Kennedy. Y apretó el gatillo.

Los Estados Unidos y la Guerra Fría

El asesinato de JFK, rodeado de una gran controversia y objeto de numerosas teorías conspirativas con relación a si Oswald fue un asesino solitario o no, supuso la extensión de un conflicto mucho más duradero en el que los Estados Unidos se vieron implicados poco después del fin de la Segunda Guerra Mundial.

El escenario internacional había cambiado radicalmente tras la gran conflagración. La Alemania nazi había desaparecido, Japón estaba diezmado, y los victoriosos Aliados, también destrozados tras una guerra épica, se dispusieron a recoger los restos. En el conjunto de los Aliados, dos países diferían de manera radical en sus planteamientos. Aunque la Unión Soviética había acompañado a los Estados Unidos en su lucha contra el Eje, ambos países no podían ser más diferentes. El líder soviético, Josef Stalin, era un tirano. Durante más de veinte años estableció en su país el reinado del terror, y su régimen comunista irritaba profundamente a los Estados Unidos, que incluso antes de su establecimiento como país clamaba por la democracia. Pero, además de esta diferencia básica y radical, la Unión Soviética culpaba a los Estados Unidos de millones de muertes de rusos en la guerra. Los soviéticos estaban convencidos de que, si los americanos hubieran abierto antes un segundo frente, atacando a la Alemania nazi desde el oeste, todas esas muertes podrían haberse evitado. Por su parte, los americanos argumentaban la imposibilidad de ese planteamiento por la encarnizada lucha en el Pacífico contra Japón. La propaganda oficial jaleaba ambas visiones, y ya desde 1950 ambos países estaban enzarzados en una lucha silenciosa en la que la esperanza de evitar el conflicto chocaba con el interés por derrotar al contrario.

Los momentos más duros de la Guerra Fría

En cualquier otro momento de la historia, los EE. UU. y la Unión Soviética simplemente se habría liado a tiros. Pero la Segunda Guerra Mundial acababa de terminar, y la situación había cambiado radicalmente desde que *Little Boy* devastó Hiroshima. Ambos países tenían en su arsenal bombas de hidrógeno, armas cuya capacidad destructiva superaba con mucho la de las bombas que habían destrozado las ciudades japonesas. Esas armas podían borrar del mapa ciudades enteras con sus millones de habitantes, y pese a que las dos superpotencias estaban deseando agarrarse por la garganta, el recuerdo de la destrucción de Nagasaki e Hiroshima estaba todavía muy fresco, con todo su horror.

La Guerra Fría se mantuvo durante cuarenta y cinco años, nada menos. No se disparó oficialmente ni un solo tiro, aunque sí que se desarrollaron guerras indirectas prácticamente en todo el globo, en las que naciones prosoviéticas como Cuba, un vecino pequeño pero belicoso situado a solo 150 kilómetros de las costas de Florida, se enfrentaron a naciones capitalistas. La Unión Soviética buscaba expandir su poder, y los Estados Unidos hicieron lo que pudieron para reducir esa expansión, incluso enfrentándose a líderes comunistas, como ocurrió en Corea y en Vietnam. La tensión llegó a un punto álgido en octubre de 1962, cuando la Crisis de los Misiles puso de manifiesto que el líder comunista cubano, Fidel Castro, almacenaba en su pequeña isla armas nucleares, casi frente a la puerta de entrada de los Estados Unidos. Tras unas negociaciones cuidadosas, la crisis se solucionó sin que se produjeran lanzamientos de armas nucleares.

Ambas superpotencias se embarcaron en una carrera armamentística durante décadas, ambos intentando sacar ventaja o igualar al adversario, y ambos sabiendo también que, si eran superados por el otro, la guerra, y la consecuente derrota, serían inevitables.

Incluso Alemania, todavía procurando recuperarse del golpe que había supuesto la derrota ante los Aliados, se vio tremendamente afectada por esa lucha sorda. El Muro de Berlín se convirtió en el símbolo tangible de lo que había venido en llamarse el Telón de Acero, una barrera invisible que separaba la Europa Oriental comunista del Occidente capitalista. Se construyó para impedir la huida en busca de la libertad de los oprimidos ciudadanos de Berlín Este, y durante décadas fue motivo de desesperación para muchos habitantes de la ciudad.

La carrera espacial

Otra carrera que la Unión Soviética y los Estados Unidos libraron a cara de perro se produjo fuera del planeta, en el espacio. La Unión Soviética se adelantó lanzando el Sputnik en 1957, el primer artefacto fabricado por el hombre que orbitó la Tierra. Los americanos se asombraron del adelanto tecnológico soviético, y también se asustaron por las implicaciones del mismo. Si eran capaces de lanzar un satélite artificial al espacio, ¿cómo no iban a serlo de lanzar una cabeza nuclear al territorio de los Estados Unidos? Para contrarrestar el logro soviético, los americanos se lanzaron también a la carrera, decididos a conseguir logros aún mayores: los científicos americanos no solo iban a enviar seres humanos al espacio, sino que también pondrían hombres en la superficie de la Luna.

Una vez más, los soviéticos se adelantaron a los americanos y lograron enviar un hombre al espacio por primera vez. El histórico vuelo de Yuri Alekseyevich Gagarin tuvo lugar el 12 de abril de 1961, poco más de un año antes de la Crisis de los Misiles. América reaccionó rápidamente con el envío de Alan Shepard solo un mes después. En un intento de animar a su preocupada nación, JFK se comprometió a que, antes de terminar la década de 1960, los Estados Unidos lograrían que un ser humano pisara la superficie de la Luna. Y aunque ya llevaba seis años muerto, su promesa se convirtió en una realidad. Neil Armstrong y otro tripulante aterrizaron sobre nuestro satélite el 20 de julio de 1969. América había ganado la carrera espacial, y la Unión Soviética, con el tiempo, perdería la Guerra Fría.

En 1989, los esfuerzos del presidente de Rusia Mijaíl Gorbachov dieron lugar finalmente a la caída del Muro de Berlín. A partir de ese momento, el comunismo se desmoronó rápidamente en la Europa Oriental, y la propia Unión Soviética cayó bajo su propio peso en 1991. La Guerra Fría había terminado oficialmente. A día de hoy, solo cinco países siguen siendo comunistas. Uno de ellos es Cuba, esa pequeña isla que estuvo a punto de causar la destrucción de los Estados Unidos, y que sigue siendo el único país comunista de todo el hemisferio occidental.

Capítulo 18 – Libertad en el frente interior

Ilustración VI: Martin Luther King Jr. Durante uno de sus emotivos discursos

—Muchas veces os habéis encontrado con la cruel ironía de ver en las pantallas de televisión muchachos negros y blancos matando y muriendo juntos por una nación que ha sido incapaz de sentarlos juntos en el mismo pupitre de una escuela —dijo una vez Martin Luther King en uno de sus vibrantes discursos.

Las palabras de King resultaron controvertidas, pero eran ciertas. Al tiempo que los Estados Unidos estaban enzarzados en una Guerra Fría contra poderes que consideraban crueles y opresivos, el Tío Sam también era culpable de las restricciones a la libertad individual que sufrían muchos de sus propios ciudadanos. El país luchaba encarnizadamente contra el comunismo, cierto, pero también aplicaba un profundo racismo, lo que para muchos de sus ciudadanos suponía una bofetada de hipocresía en la considerada a bombo y platillo como la "tierra de la libertad".

Así empezó el Movimiento por los Derechos Civiles, que pretendía ahondar en lo que la Guerra Civil había comenzado, pero nada menos que noventa años después de que hubiera terminado. Fue liderada por un carismático pastor llamado Martin Luther King Jr., y aunque el movimiento fue apoyado por muchos blancos, esta vez la gente de color sí que tomó las riendas y se lanzó a buscar la libertad por sí misma, siguiendo las huellas de los cerca de ciento ochenta mil soldados afroamericanos que había luchado codo con codo con sus compañeros blancos durante la sangrienta guerra de Secesión.

El Movimiento por los Derechos Civiles

Martin Luther King Jr., al tiempo que empezaba a hablar, no podía apartar los ojos, muy abiertos, de la marea humana que se había congregado. Sus raíces como predicador procedían de una pequeña congregación baptista de Montgomery, Alabama; como pastor, se sentía a gusto hablando en público. De hecho, durante los seis últimos años, en los que había liderado la Conferencia de Líderes Cristianos del Sur, también conocida como Conferencia de Líderes Negros del Sur, ya se había dirigido a audiencias muy amplias, y que crecían de día en día. Pero esto era otra cosa, algo mucho más grande. La marcha sobre Washington de agosto de 1963 había animado a miles de afroamericanos a acercarse a la capital en apoyo de la nueva legislación que había presentado JFK. Se esperaba que Kennedy lograra la aprobación de la Ley de Derechos Civiles, que por fin iba a garantizar a los afroamericanos los derechos que se les habían prometido inmediatamente después de finalizada la guerra civil.

Puede que, al ver la enorme concentración, King sintiera cierto nerviosismo. Hasta puede que, momentáneamente, le paralizara el miedo. Pero el pastor llevaba luchado muchos años contra el gigante de la injusticia, así que no iba a dejar que las más de doscientas cincuenta mil personas allí congregadas lo asustaran. Así que se irguió e hizo un discurso de diecisiete minutos que la historia inmortalizaría con el icónico título de "Tengo un sueño".

—Tengo un sueño, y es que un día, en las rojas colinas de Georgia, los hijos de los antiguos esclavos y los hijos de los antiguos propietarios de esclavos se sienten juntos a la mesa de la hermandad —dijo—. Sueño con que un día, incluso en el estado de Mississippi, un estado abrasado por el calor de la injusticia, abrasado por el calor de la opresión, se convierta en un oasis de libertad y de justicia.

Pese al hecho de que había crecido en un vecindario rico de Atlanta, Georgia, King había sido testigo de la multitud de injusticias que aún sufrían los afroamericanos. Considerados como inferiores a los blancos, vivían bajo leyes opresivas que permitían la segregación racial. Los estudiantes afroamericanos tenían que ir a escuelas distintas que las de los blancos, utilizar autobuses distintos e incluso entrar en distintos aseos públicos. En los restaurantes, no podían comer junto a los blancos, y tampoco se permitían los matrimonios mixtos. Los estados del Sur, es decir, los antiguos estados esclavistas, seguía aferrados a los prejuicios, y utilizaban el cínico eslogan de "iguales pero separados". Ya el hecho de la separación física podía considerarse como un insulto en sí misma, pero en lo que se refiere a la igualdad, el lema estaba absolutamente vacío de contenido. La calidad de las instalaciones destinadas a los afroamericanos era de una calidad infinitamente peor. Y, para empeorar las cosas, los afroamericanos sufrían a menudo malos tratos por parte de los blancos, llegándose incluso a la violencia, simplemente porque el color de su piel era más oscuro.

Rosa Parks, sin quererlo, se convirtió en el catalizador del Movimiento por los Derechos Civiles. Ocurrió una tarde del invierno de 1955, cuando se acomodó en un asiento del autobús que la conducía a casa tras un día de trabajo largo y agotador. El autobús se fue llenando, y algunas personas tenían que viajar de pie. Cuando el conductor se dio cuenta de había blancos de pie mientras que todos los negros iban sentados, movió hacia atrás la señal de separación entre blancos y negros, y le ordenó que se levantaran tanto a Rosa Parks como a los demás negros que estaban sentados. Rosa se negó a hacerlo, y el conductor, en represalia, llamó a la policía.

El arresto de Rosa fue la chispa que encendió el Movimiento por los Derechos Civiles, que finalmente lograría la abolición de la segregación de una vez para siempre. En protesta contra el injusto arresto, King convenció a un grupo de líderes de la comunidad afroamericana de que se organizara un boicot al sistema de transporte, que se mantuvo durante más de un año. El movimiento forzó a la Corte Suprema a decretar en 1956 el fin de la separación de asientos en el sistema de transporte público.

La nueva Ley de Derechos Civiles

El presidente Dwight D. Eisenhower firmó una nueva Ley de Derechos Civiles en 1957. Su objetivo fundamental era evitar la discriminación respecto al voto; aunque los afroamericanos seguían oprimidos por los blancos en muchos estados, al menos ahora sería delito impedirles actuar y expresarse en relación a quién querían que los gobernaran. Era la primera vez que se cambiaba la legislación relativa a los derechos civiles desde la reconstrucción de las décadas de 1860 y 1870.

No dejaba de ser un avance, pero aún quedaban muchos asuntos pendientes, entre ellos los exámenes de alfabetización relativos al voto que tenían que pasar todos los americanos para tener derecho a votar.

Aunque muchos afroamericanos lo aprobaban, a veces se amañaban para que fueran muy difíciles, lo cual hacía que mucha gente ni siquiera lo intentara aprobar. Las instalaciones públicas continuaban segregadas. No obstante, el presidente John F. Kennedy pretendía cambiar esa situación. Cuando anunció sus intenciones de cambiar las leyes con el fin de acabar con la segregación, King reaccionó y decidió demostrar su decidido apoyo a esta idea. Sabiendo esto, mientras que las actividades de King habían sido pacíficas, la desobediencia civil y la violencia también habían hecho presa en muchos casos en el Movimiento por los Derechos Civiles, y sabía que era imperativo animar a la gente a que expresara sus opiniones de forma absolutamente pacífica. La Marcha sobre Washington fue un ejemplo de civismo.

Bajo la influencia indudable del apoyo mostrado por los afroamericanos, el presidente Lyndon B. Johnson, tras la muerte de Kennedy, firmó la Ley de Derechos Civiles de 1964. Dicha ley cambiaba las reglas de juego ordenando que todas las instalaciones se integraran, es decir, impidiendo de derecho la segregación y estableciendo la igualdad de oportunidades en lo referido al empleo. No obstante, los exámenes de alfabetización referidos al voto se mantendrían hasta la aprobación de la Ley de Derecho al Voto de 1965.

Finalmente, y al menos desde el punto de vista legal, los afroamericanos habían logrado la igualdad de oportunidades. Ahora, lo americanos, independientemente de su origen racial, eran libres; sin embargo, el propio Martin Luther King Jr. apenas tuvo tiempo de disfrutar de ese logro. Fue asesinado el 4 de abril de 1968, probablemente por un individuo llamado James Earl Ray, y basado en motivos puramente raciales.

Capítulo 19 – El terror y su guerra

—Sé que todos vamos a morir, todos—dijo Thomas Burnett Jr. utilizando su teléfono móvil—. Tres de nosotros vamos a hacer algo al respecto. Hizo una pausa, cerró los ojos con fuerza y apretó el teléfono contra la cara, con la mano temblorosa. El ruido de los motores no se detenía. Era un ruido familiar, pues lo había escuchado muchas veces a lo largo de una carrera de éxito como ejecutivo. Pero sabía perfectamente que, esta vez, todo era muy distinto. Lo que había dicho era verdad, todo ello, pero no había miedo en su voz. Casi desde su nacimiento prematuro, Thomas había vivido con el convencimiento de que iba a morir joven, a pesar de que gozaba de buena salud. Católico devoto, estaba seguro de que Dios tenía un plan espectacular para su vida. Tan convencido estaba de ello que él y su esposa Deena habían hecho planes para el caso de que muriera joven.

Pero en ese momento, con los secuestradores controlando el avión y rodeado de pasajeros presas del pánico, Thomas sintió una punzante agonía al pensar en Deena y en sus hijos, todos pequeños.

—Te amo, querida —susurró. Dejó el teléfono, agarró un extintor como si fuera un arma y se dirigió hacia la cabina de los pilotos.

Unos minutos después, el vuelo United 93 se estrelló a una velocidad de más de ochocientos kilómetros por hora. El avión cayó sobre la tierra de una zona de campo abierto cerca de Shanksville, Pennsylvania. Se desintegró debido al impacto, y las cuarenta y cuatro personas que viajaban en él murieron en el acto. En tierra nadie resultó herido.

No se podía decir lo mismo sobre Nueva York o Washington. Ambas ciudades estaban ardiendo.

La tragedia que moldeó una nación

Los ataques terroristas del 11 de septiembre de 2001 desataron una oleada de horror en todo el mundo. Comenzaron esa misma mañana temprano, cuando diecinueve terroristas islamistas pusieron en marcha el plan en el que llevaban trabajando meticulosamente durante más de un año. Osama bin Laden, líder del grupo terrorista conocido como Al-Qaeda estaba detrás de todo, pero no allí. Todos los terroristas que ejecutaron el plan sabían que iban a morir, pero se les había lavado el cerebro de una forma tan absoluta que estaban plenamente convencidos de que se ganarían el cielo matando a miles de personas.

Esa mañana, los terroristas secuestraron cuatro aviones. El primero de ellos se estrelló a las ocho y cuarenta y seis minutos contra la torre norte del *World Trade Center*, un icónico edificio americano de ciento diez pisos situado al sur de la ciudad de Nueva York. Chocó aproximadamente a dos tercios de altura desde la base del edificio, y Nueva York se incendió. Unos veinte minutos después, otro avió se estrelló deliberadamente contra el edificio sur, y ambas torres gemelas ardieron al mismo tiempo. El ruido de las sirenas inundó las calles de la ciudad al tiempo que los responsables de los primeros auxilios, bomberos y sanitarios acudían al lugar de los hechos con toda la premura posible.

A las nueve y treinta y siete, un tercer avión se estrelló directamente contra el edificio del Pentágono de la capital, Washington. El impacto, fortísimo y extenso, destrozó e incendió una buena parte del lateral del edificio. Poco después, el vuelo de United 93 caía sobre el campo de Pennsylvania. Para todos los americanos resultó obvio que no se trataba de una cadena de desgraciados accidentes, sino de un ataque deliberado y letal de los enemigos de los Estados Unidos de América. El objetivo era sembrar el terror y demostrarle al gigante militar que no era invencible; que un puñado de terroristas sin armas, tan solo provistos de objetos utilizados en la vida diaria por un americano normal podían usarse para provocar la destrucción absoluta en su propio territorio.

Cuando finalizaron los ataques casi tres mil personas habían muerto. El presidente George W. Bush se encontró en la dificilísima tesitura de verse obligado a dirigirse a una nación aterrorizada, destrozada y estupefacta por lo que acababa de ver. No obstante, sus palabras iban a definir las características de lo que sería la respuesta americana a semejante ataque.

—Estos actos han hecho añicos el acero —dijo, refiriéndose a las caóticas ruinas metálicas a los que habían quedado reducidas las orgullosas Torres Gemelas—. Pero lo que nunca lograrán es hacer mella en el acero de la resolución americana.

La "Carta a América" de Osama bin Laden, escrita en 2002, no logró su propósito de aterrorizar al pueblo de los Estados Unidos. En ella revelaba los motivos de los ataques que han pasado a la historia con el sencillo nombre de el 11S. Señalaba a la cultura americana, profundamente diferente del extremismo religioso islámico que caracterizaba al propio bin Laden y a sus seguidores, y al intervencionismo del país en Oriente Medio. Los Estados Unidos habían intervenido en la guerra del Petróleo del golfo Pérsico, y desde entonces mantenían tropas acantonadas en Arabia Saudita. Teniendo en cuanta que las ciudades de La Meca y Medina, de tremenda significación religiosa para el islam, pertenecen a Arabia Saudita, la presencia en ese país de las tropas americanas era considerada como un insulto inconcebible por los musulmanes más radicales.

Bin Laden también consideraba que el apoyo Israel, el país judío por excelencia, era una afrenta a sus creencias. Por todo ello elaboró el plan de matar a miles de personas, que apenas tenían nada que ver con tales cuestiones ni con la guerra en sí misma.

La Guerra del Golfo

Los ataques del once de septiembre fueron precedidos por la guerra del Golfo, un conflicto breve pero sangriento en el que los

Estados Unidos volvieron a demostrar que constituían la mayor potencia militar del mundo. Todo comenzó el dos de agosto de 1990, cuando Saddam Hussein, líder dictatorial de Irak, invadió el vecino país de Kuwait con el objetivo de anexionarse sus grandes reservas petrolíferas. La organización de las Naciones Unidas, sorprendida por el nuevo e inesperado movimiento del brutal dictador decidió que era necesario detener a cualquier precio la expansión de su poder en la zona. Prohibió el comercio mundial con Irak y exigió a Hussein que retirara las tropas de Kuwait, pero el líder iraquí permaneció inflexible: quería quedarse con Kuwait, y no retrocedería ante ningún tipo de amenaza. El 8 de agosto hizo oficial la anexión de Kuwait a Irak.

Los Estados Unidos y sus países aliados respondieron lanzando una operación masiva, que denominaron "Escudo del desierto", en la que cientos de miles de soldados fueron trasladados a Arabia Saudí, primero para impedir la posible invasión de ese país por parte de Irak. De haberse producido, las consecuencias para las reservas de petróleo de la zona habrían sido devastadoras. Junto con otros aliados árabes y Egipto, los Estados Unidos atacaron a las tropas iraquíes de Kuwait en dos frentes. La parte aérea de la ofensiva se denominó "Tormenta del desierto"; bajo los cazas y los bombarderos que sobrevolaban el cielo kuwaití y destrozaban a los iraquíes con misiles y explosivos de gran capacidad destructiva y precisión, se desarrolló la operación "Sable del desierto", llevada a cabo por carros de combate aliados atacando por tierra a sus enemigos. La ofensiva empezó en enero de 1991, e Irak no fue capaz de enfrentarse a ella de ninguna manera. Los Estados Unidos abrumaron literalmente a su enemigo. El 28 de febrero se ordenó el cese del fuego, tras la muerte de más de veinte mil soldados iraquíes. Los Estados Unidos y sus aliados apenas sufrieron trescientas bajas.

La guerra del Golfo supuso otra resonante victoria para los Estados Unidos, pero Oriente medio no gestionó bien la exhibición de musculatura de la superpotencia occidental. La intervención americana en la guerra del Golfo seguramente tuvo en parte como consecuencia los ataques del once de septiembre. Además, esta guerra desató un conflicto que hoy en día todavía perdura, y que se ha bautizado como la guerra contra el terror.

La Guerra contra el Terror

A lo largo del siglo XXI los Estados Unidos se han visto envueltos en múltiples conflictos. A la guerra del Golfo le siguió rápidamente la guerra de Irak, que comenzó en 2003 con la invasión de Irak por parte de los estados Unidos con el objetivo de derrocar al tirano Saddam Hussein. Esa guerra terminó en 2011, bastante después de que un Tribunal Espacial iraquí considerara a Hussein culpable de crímenes contra la humanidad y lo condenara a morir ahorcado en 2006.

Desde el siete octubre de 2001, tras los ataques del once de septiembre, los Estados Unidos también se vieron envueltos en la guerra de Afganistán, cuya primera operación recibió el nombre de "Libertad duradera", un nombre inspirador. Tras el fin de esa operación, la guerra se generalizó y se convirtió en una operación denominada esta vez "Centinela de la libertad". Su objetivo era impedir que Al-Qaeda y los talibanes dispusieran de una base de operaciones segura. Podría decirse que se trataba del escenario en Afganistán de la guerra contra el terror, una serie de operaciones militares lanzadas por distintas partes del mundo contra grupos terroristas a partir de 11S.

Esa guerra poco definida ha conseguido al menos una importante victoria. Casi diez años después de orquestar los ataques que devastaron América, y a los que siguieron otros en distintas ciudades occidentales, finalmente se logró localizar a Osama bin Laden, escondido en un rincón de Pakistán. Se envió a un grupo de las Fuerzas Especiales de Operaciones de la Marina de los Estados Unidos con el objetivo de capturarlo, aunque resultó muerto durante el intento de arresto. La guerra contra el terror todavía continúa, pero uno de los comandantes del lado terrorista ha desaparecido para siempre.

La elección del primer presidente negro

—Esta noche damos las gracias a los muchísimos profesionales de la inteligencia y el contraterrorismo que han trabajado sin descanso para lograr este objetivo —dijo el presidente de los Estados Unidos a su pueblo tras anunciar la muerte de Osama bin Laden—. El pueblo americano no ve su trabajo, ni conoce sus nombres. Pero esta noche puede sentirse satisfecho de su trabajo y del resultado de su búsqueda de la justicia.

El presidente que se dirigía a su pueblo la noche del dos de mayo de 2011 para anunciar la muerte de Osama bin Laden era Barack Obama. No solo había recibido el Premio Nobel de la Paz en 2009, sino que además se trataba del primer presidente afroamericano elegido para el cargo. En 2008, ciento cuarenta y tres años después de la abolición de la esclavitud y cuarenta y cuatro tras la victoria de Martin Luther King en su lucha por la igualdad, Obama fue elegido presidente de los Estados Unidos de América. Hacía menos de un siglo y medio muchos afroamericanos trabajaban amenazados por los látigos y hostigados a base de frases brutales por sus vigilantes; ahora, un afroamericano ostentaba la presidencia. Pese al caos en los propios Estados Unidos y en el mundo, al menos un faro de progreso se abría paso entre el humo del 11S.

Conclusión

Nadie puede negar que Estados Unidos es un gran país. Teniendo en cuenta que su superficie es cuarenta veces mayor que la del Reino Unido, su superficie resulta impresionante, y su diversidad aún más. En todo caso, los Estados Unidos no son enormes solo en superficie, sino en todo lo que hacen: sus guerras, sus éxitos, sus antológicas meteduras de pata, su individualidad, su irrefrenable deseo de establecer tendencias, su decidida capacidad para ir contra el *statu quo* en nombre de la libertad individual, su espíritu emprendedor y su capacidad para la invención y la innovación.

Es innegable que los Estados Unidos han sido uno de los países más influyentes del mundo. Desde sus libros y películas y sus muchísimos inventos, los EE. UU. se han abierto paso rápidamente en la conciencia colectiva de la mayoría del mundo moderno. De hecho, pese a que abogó a voz en grito durante más de un siglo en contra del expansionismo, no se puede negar que su cultura y su modo de vida han inundado gran parte del mundo. Aunque desde la admisión de Hawái en 1959 como estado de la Unión su territorio no ha aumentado, lo cierto es que están en todas partes.

Cualquiera que haya encendido alguna vez una bombilla, volado en avión, conducido un coche de la marca Ford, pronunciado la expresión OK o visto una película, ha bebido del profundo pozo de la innovación americana. Este emergente gigante ha cometido su cuota de errores y ha dado lugar a críticas acerbas por parte de muchas personas e instituciones del mundo; no obstante, no hay ninguna persona que no recuerde dónde se encontraba el 11S. Cualquiera que tenga edad suficiente para recordar seguro que sabe lo que estaba haciendo en el momento en el que escuchó que el primer avión se había estrellado contra la torre norte aquella fatídica mañana.

Han sido siglos de lucha. Ha sufrido derrotas sangrientas y tremendas victorias. Han surgido tanto héroes como villanos que se han alzado para emprender acciones inimaginables que el resto del mundo no se atrevía a encarar. A través de la revolución y la guerra civil, las protestas y la depresión, la colonización y la tragedia, desde la Colonia Perdida hasta la guerra contra el terror, los Estados Unidos han emergido y siguen siendo una superpotencia militar, un pionero cultural y, por encima de todo, la tierra de la libertad. El hogar de los valientes.

Vea más libros escritos por Captivating History

Fuentes

http://www.crystalinks.com/nativeamcreation.html

https://prezi.com/ykvfzcomwc0e/chinook-creation-myth/

https://prezi.com/3kcshnvcqfdt/chinook-creation-myth/

https://www.cleveland.com/expo/life-and-culture/erry-2018/10/71b738640b7079/ohios-serpent-mound-an-archaeo.html

https://www.smithsonianmag.com/history/the-clovis-point-and-the-discovery-of-americas-first-culture-3825828/

https://www.infoplease.com/us/race-population/major-pre-columbian-indian-cultures-united-states

https://www.census.gov/history/pdf/c2010br-10.pdf

https://www.scholastic.com/teachers/articles/teaching-content/history-native-americans/

https://www.historyonthenet.com/native-americans-origins

https://www.history.com/topics/exploration/john-cabot

https://www.history.com/this-day-in-history/ponce-de-leon-discovers-florida

https://fcit.usf.edu/florida/lessons/de_leon/de_leon1.htm

https://www.washingtonpost.com/news/answer-sheet/wp/2013/10/14/christopher-columbus-3-things-you-think-he-did-that-he-didnt/?noredirect=on&utm_term=.e921b34a7cfcme

https://exploration.marinersmuseum.org/subject/jacques-cartier/

https://www.historytoday.com/archive/months-past/birth-amerigo-vespucci

https://www.u-s-history.com/pages/h1138.html

http://mentalfloss.com/article/560395/facts-about-sir-walter-raleigh

https://www.nationalgeographic.com/magazine/2018/06/lost-colony-roanoke-history-theories-croatoan/

https://www.history.com/news/what-happened-to-the-lost-colony-of-roanoke

http://mentalfloss.com/article/69358/8-most-intriguing-disappearances-history

http://www.let.rug.nl/usa/outlines/history-1994/early-america/the-first-europeans.php

Ilustración I:

https://commons.wikimedia.org/wiki/File:Dugout_canoe_manner_boats_de_bry.jpg

https://newsmaven.io/indiancountrytoday/archive/the-true-story-of-pocahontas-historical-myths-versus-sad-reality-WRzmVMu47E6Guz0LudQ3QQ/

http://www.americaslibrary.gov/jb/colonial/jb_colonial_subj.html

https://www.history.com/topics/colonial-america/thirteen-colonies

https://www.texasgateway.org/resource/exploration-and-colonization-america

http://www.loc.gov/teachers/classroommaterials/presentationsandactivities/presentations/timeline/colonial/

https://www.history.com/this-day-in-history/the-pilgrim-wampanoag-peace-treaty

https://www.uswars.net/king-georges-war/

https://www.mountvernon.org/george-washington/french-indian-war/washington-and-the-french-indian-war/

https://www.mountvernon.org/george-washington/french-indian-war/ten-facts-about-george-washington-and-the-french-indian-war/

https://www.history.com/topics/native-american-history/french-and-indian-war

https://www.history.com/topics/american-revolution/boston-massacre

http://www.ushistory.org/declaration/related/massacre.html

https://www.britannica.com/event/Boston-Tea-Party

https://www.history.com/topics/american-revolution/boston-tea-party

http://www.eyewitnesstohistory.com/teaparty.htm

https://www.ducksters.com/history/american_revolution/intolerable_a cts.php

http://www.ushistory.org/us/9g.asp

https://www.poets.org/poetsorg/poem/paul-reveres-ride

https://www.history.com/news/11-things-you-may-not-know-about-paul-revere

https://www.history.com/topics/american-revolution/battles-of-lexington-and-concord

https://www.britannica.com/event/Battles-of-Saratoga

https://www.history.com/topics/american-revolution/declaration-of-independence

https://www.britishbattles.com/war-of-the-revolution-1775-to-1783/battle-of-yorktown/

https://www.history.com/this-day-in-history/battle-of-yorktown-begins

https://www.battlefields.org/learn/articles/overview-american-revolutionary-war

https://www.history.com/topics/american-revolution/american-revolution-history

http://sageamericanhistory.net/federalperiod/topics/national1783_89.h tml

http://avalon.law.yale.edu/18th_century/washing.asp

http://www.ushistory.org/us/17d.asp

https://www.britannica.com/biography/George-Washington/Presidency

https://www.mountvernon.org/george-washington/the-first-president/election/10-facts-about-washingtons-election/

https://www.biography.com/people/george-washington-9524786

https://www.history.com/news/what-was-the-xyz-affair

https://www.americanhistorycentral.com/entries/quasi-war/

https://www.smithsonianmag.com/smart-news/unremembered-us-france-quasi-war-shaped-early-americas-foreign-relations-180963862/

https://2001-2009.state.gov/r/pa/ho/time/nr/16318.htm

http://www.historicships.org/constellation.html

https://www.history.com/topics/war-of-1812/battle-of-new-orleans

https://www.britannica.com/event/War-of-1812

https://www.smithsonianmag.com/history/the-10-things-you-didnt-know-about-the-war-of-1812-102320130/

https://www.history.com/topics/native-american-history/trail-of-tears

https://www.britannica.com/topic/Indian-Removal-Act

https://www.pbs.org/wgbh/aia/part4/4p2959.html

https://www.history.com/news/native-americans-genocide-united-states

http://www.ushistory.org/us/24f.asp

https://cherokee.org/About-The-Nation/History/Trail-of-Tears/A-Brief-History-of-the-Trail-of-Tears

https://www.britannica.com/event/Second-Seminole-War

https://www.thoughtco.com/second-seminole-war-2360813

https://fcit.usf.edu/florida/lessons/sem_war/sem_war1.htm

https://www.sermonsearch.com/sermon-outlines/21975/confidence-in-prayer/

https://www.u-s-history.com/pages/h1091.html

http://www.ushistory.org/us/22c.asp

https://www.pbs.org/wgbh/americanexperience/features/goldrush-california/

https://www.history.com/topics/westward-expansion/gold-rush-of-1849

https://www.historynet.com/california-gold-rush

https://www.britannica.com/event/assassination-of-Abraham-Lincoln

http://www.abrahamlincolnonline.org/lincoln/speeches/gettysburg.htm

https://www.history.com/topics/american-civil-war/battle-of-gettysburg

https://www.battlefields.org/learn/articles/brief-overview-american-civil-war

https://www.history.com/topics/american-civil-war/american-civil-war-history

https://www.history.com/topics/19th-century/bleeding-kansas

https://www.britannica.com/topic/Ku-Klux-Klan

https://www.history.com/topics/american-civil-war/reconstruction

https://www.britannica.com/topic/Civil-Rights-Act-United-States-1875

https://www.britannica.com/topic/Wounded-Knee-Massacre

https://www.thoughtco.com/about-the-native-american-ghost-dance-4125921

https://www.history.com/topics/native-american-history/wounded-knee

https://www.history.com/topics/native-american-history/battle-of-the-little-bighorn

https://www.history.com/news/10-things-you-didnt-know-about-the-old-west

https://www.thevintagenews.com/2017/12/31/wild-west-era-2/

https://www.loc.gov/rr/hispanic/1898/intro.html

https://www.britannica.com/event/Spanish-American-War

https://www.businessinsider.com/major-battles-fought-by-the-us-during-world-war-i-2018-11?IR=T#after-a-decisive-allied-victory-germans-accept-defeat-and-sign-for-peace-10

https://www.nationalgeographic.com/archaeology-and-history/magazine/2017/03-04/world-war-i-united-states-enters/

https://www.thoughtco.com/second-battle-of-the-marne-2361412

https://www.britannica.com/event/Second-Battle-of-the-Marne

https://www.wearethemighty.com/history/this-is-why-the-3rd-infantry-division-is-called-rock-of-the-marne

https://www.history.com/topics/womens-history/19th-amendment-1

https://www.pbs.org/newshour/health/woodrow-wilson-stroke

https://www.archives.gov/publications/prologue/1998/fall/military-service-in-world-war-one.html

https://www.history.com/topics/great-depression/1929-stock-market-crash

http://www.american-historama.org/1929-1945-depression-ww2-era/causes-wall-street-crash.htm

http://www.newworldencyclopedia.org/entry/Wall_Street_Crash_of_1929

https://www.washingtonpost.com/archive/opinions/1987/10/25/the-jumpers-of-29/17defff9-f725-43b7-831b-7924ac0a1363/?utm_term=.0d663d5ecc79

http://voices.washingtonpost.com/washingtonpostinvestigations/2009/01/the_wall_street_leap.html

http://professorbuzzkill.com/the-men-who-jumped-during-the-stock-market-crash-of-1929-2/

https://www.history.com/topics/great-depression/great-depression-history

https://www.thebalance.com/the-great-depression-of-1929-3306033

https://www.npr.org/templates/story/story.php?storyId=97468008

https://www.thoughtco.com/great-depression-pictures-1779916

https://www.history.com/topics/world-war-ii/pearl-harbor

https://247wallst.com/special-report/2018/05/25/most-decorated-war-heroes/2/

http://www.pwencycl.kgbudge.com/C/a/Casualties.htm

https://www.atomicheritage.org/history/bombings-hiroshima-and-nagasaki-1945

https://www.atomicheritage.org/history/little-boy-and-fat-man

https://www.history.com/topics/world-war-ii/atomic-bomb-history

https://www2.gwu.edu/~erpapers/teachinger/glossary/world-war-2.cfm

https://www.thoughtco.com/overview-of-world-war-ii-105520

https://www.history.com/topics/cold-war/cold-war-history

https://www.britannica.com/event/Cold-War

https://www.google.com/search?q=assassination+of+jfk+cold+war&ie=utf-8&oe=utf-8

https://www.history.com/this-day-in-history/john-f-kennedy-assassinated

https://www.psychologytoday.com/us/blog/evil-deeds/201311/why-did-lee-harvey-oswald-kill-john-fitzgerald-kennedy

https://www.history.com/topics/cold-war/berlin-wall

https://www.history.com/topics/black-history/martin-luther-king-jr

https://www.history.com/topics/black-history/civil-rights-movement

https://www.inc.com/jeff-haden/two-of-greatest-martin-luther-king-jr-speeches-youve-never-heard.html

https://www.nzherald.co.nz/world/news/article.cfm?c_id=2&objectid=12093351

https://www.history.com/topics/21st-century/9-11-attacks

https://patch.com/california/sanramon/were-going-to-do-something-remembering-thomas-burnett-jr

https://www.britannica.com/biography/Barack-Obama/Politics-and-ascent-to-the-presidency

http://edition.cnn.com/2011/WORLD/asiapcf/05/02/bin.laden.announcement/index.html

Ilustración II: Copia de la litografía de Sarony & Major, 1846 – Disponible en los Archivos Nacionales de la Administración, catalogada con el identificador (NAID) 532892., de dominio público, https://commons.wikimedia.org/w/index.php?curid=112653

Ilustración III: John Trumbull - Winterthur Museum, dominio público, https://commons.wikimedia.org/w/index.php?curid=57115499

Ilustración IV: https://commons.wikimedia.org/wiki/California_Gold_Rush#/media/File:SanFranciscoharbor1851c_sharp.jpg

Ilustración V: Dorothea Lange – Librería presidencial y Museo Franklin Delano Roosevelt (53227(292), 00/00/1935, 27-0621a.gif), dominio público, https://commons.wikimedia.org/w/index.php?curid=4275764

Ilustración VI: O. Fernandez, New York World-Telegram and the Sun, fotógrafo de plantilla – Librería del Congreso, División de grabados y fotografías. New York World-Telegram and the Sun, colección de fotografías del periódico. http://hdl.loc.gov/loc.pnp/cph.3c11157, dominio público, https://commons.wikimedia.org/w/index.php?curid=1307066

Made in United States
North Haven, CT
03 October 2024